Korean Skills for the Workplace
Korean Language for a Good Job

Korean Skills for the Workplace
Korean Language for a Good Job ❶

지은이 이미혜
펴낸이 정효섭
펴낸곳 (주)다락원

초판 1쇄 발행 2005년 3월 30일
초판 2쇄 발행 2005년 11월 15일

책임편집 박상두, 안효정
영문번역 서반석(Peter Schroepfer)
디자인 정현석, 권대훈

다락원 서울시 종로구 송월동 141
Tel: (02)736-2031
(출판부: 내선 310 영업부: 내선 111~114)
Fax: (02)732-2037
출판등록 1977년 9월 16일 제1-126호

Copyright ⓒ 2005, 이미혜

출판사의 허락 없이 이 책의 일부 또는 전부를
무단 복제 · 전재 · 발췌할 수 없습니다.
잘못된 책은 바꿔 드립니다. 교재에 대한 문의가
있으면 다락원 출판부로 연락 바랍니다.

값 15,000원(교재+별책부록+카세트 테이프 1개)

ISBN 89-7255-231-3 18710
ISBN 89-7255-230-5 (세트)

http://www.darakwon.co.kr

Korean Skills for the Workplace

Korean Language
for a Good Job

1

다락원

Foreword

1980년대 후반부터 붐을 이루기 시작한 한국어 교육은 2000년대에 들어 한류의 영향, 고용허가제를 계기로 지속적인 상승 곡선을 타고 있다. 최근 전 세계의 한국어 학습자 수는 재외동포를 포함하여 15만 명 안팎에 이르며, 한국 내의 외국인 근로자 수도 합법적인 수만을 계산해도 이제 10만 명 시대에 도달해 있다.

그동안 한국어와 한국문화 교육을 위한 교재들이 다수 출판되었으나, 외국인 근로자를 위한 한국어 교재는 극히 소수에 불과하다. 『Korean Language for a Good Job①』은 외국인 근로자를 대상으로 일상생활에서 의사소통을 가능하게 하고, 동시에 직장생활에서 기본적인 업무를 해결할 수 있도록 하는 데 목적을 두었다. 그러므로 일상생활과 직장생활을 소재로 하고, 살아 있는 표현과 대화들로 교재를 구성하였다.

『Korean Language for a Good Job①』은 한국어교재개발연구회의 첫 출판물이다. 한국어교재개발연구회는 한국어 교육에 종사하는 현직 교수들이 뜻을 모아, 한국어 교재를 연구하고 개발하고자 구성한 모임이다. 그동안 교재의 방향을 설정하고 교재를 완성하기까지 여러 번의 워크숍을 통해 조언을 아끼지 않으신 교재개발연구회의 신현숙 교수님, 조항록 교수님, 허용 교수님, 강현화 교수님께 깊은 감사를 드린다. 그리고 책의 번역을 맡아주신 피터 쉬로퍼(서반석) 선생님께도 감사의 말씀을 드린다.

한국어교재개발연구회는 한국어 교육에 지대한 관심을 가지고 노력과 봉사를 아끼지 않으시는 다락원 정효섭 사장님이 계시기에 이루어질 수 있었다. 책의 발간과 더불어 깊은 감사를 드린다. 그리고 이 교재의 발간을 위해 애써주신 다락원 관계자분들께도 감사드린다.

『Korean Language for a Good Job①』이 외국인 근로자가 한국어와 한국문화를 쉽고 즐겁게 배우는 데 유익한 교재가 되기를 바라며, 이를 통해 한국어 세계화와 한국어 교육의 학문적 발전에도 도움이 되기를 기대한다.

2005년 3월
이화여자대학교 언어교육원
이 미 혜

Korean language learning, which experienced a boom beginning in the 1980's, had tapered off in the last few years, only to find a resurgence due to the granting of working visas to foreign laborers (고용허가제) and is now in the swing of a continuous rising curve. At this time the number of Korean language students across the globe, including overseas Koreans, hovers around 150,000 people and even counting only legally registered workers, the number of foreign laborers residing and working in Korea has reached 100,000. During the time while these demographics have swelled, there has been a plethora of texts published for education about Korean language and culture. However, there has been no more than an exceedingly small number of texts for foreign workers. *Korean Language for a Good Job*① is a book specifically for foreign workers in Korea with the object of making communication in everyday situations possible, while at the same time enabling the worker to solve basic problems encountered while conducting affairs in the workplace. Consequently, taking everyday life and life in the workplace as its subject matter, the book is made up of living expressions and dialogues.

*Korean Language for a Good Job*① is the first publication of the Korean Textbook Development Team. The team is a meeting which gathers the teachings and thoughts of current respected professors of Korean language education in order to research Korean language textbooks and develop new materials. I would like to deeply thank Professor Shin Hyonsook, Professor Cho Hangrok, Professor Heo Yong, and Professor Kang Hyounhwa, for their tireless efforts and advice in determining the direction of the text and seeing it through to completion through a series of workshops during the conference. I would also like to thank Peter Schroepfer, who was responsible for the translation of the book.

The Conference's benefactor, advisor Jung Hyoseop made the conference possible through his great interest in Korean language education and his assistance and effort throughout. Even greater thanks are extended to him for the publication of this book. Finally, appreciation is due to those who strove and worked hard for the publication of this text, and all the other related participants in the conference.

I hope that *Korean Language for a Good Job*① becomes a beneficial text for foreign workers and makes the learning of Korean language and culture easy and joyful. It is also hoped that this will aid in the globalization of Korean language and the development of scholarship in the field of Korean language education.

March 2005

Ewha Language Center in Ewha Womans University

Lee Mihye

How to Use This Book

Korean Language for a Good Job includes the text book, listening tapes, and supplemental book.

The textbook is made up of a total of 15 chapter units. Chapters 1 through 5 serve as an introduction to familiarize the student with Korean Characters, basic sentence structure. Chapters 6 through 15 deal with the topic of everyday life and life in the workplace and familiarize students with dialogues, vocabulary, and grammar as well as including task sections and an emphasis on learning Korean culture.

The supplemental book presents the content of chapter units 6 through 15 in sentence. It consists of the core grammar, expressions, and dialogue content of each separate unit. Therefore the student is able to use this supplemental book conveniently anywhere to memorize useful sentences and use as a reference.

The textbook chapter units are each made up of Dialog, Pronunciation, New Words & Phrases, Vocabulary, Grammar & Expressions, Practice, Tasks, Quiz, and Culture.

Dialog   consists of two model dialogues related to the topic as well as corresponding illustrations to aid in the students learning.

Pronunciation   takes the important pronunciations from the Dialog section and enables the students to listen to and repeat them using the tapes. If possible, listening and repeating problematic pronunciations is preferred to simply memorizing the rules of pronunciation.

New Words & Phrases   is also covered. Before learning the Dialog section, it is recommended to first listen to the tapes, and become familiar with the topic and situation through the illustrations and related questions.

Vocabulary classifies basic, usable vocabulary related to the unit's topic into categories of meaning. Therefore it is useful both in completing presented tasks and in real life situations.

Grammar & Expressions presents the basic grammar and expressions used in the dialogues together with a translated explanation. Also, these grammar points and expressions are completely elucidated through corresponding problems and exercises in the Practice section. There is also an explanation of the grammar and expressions printed in Korean in the back of the book for the benefit of the instructor.

Tasks is an attempt to put the learned vocabulary, grammar, and expressions into practice in a fixed task. A speaking task is included for each unit. In addition, there are listening, reading, and writing exercises sorted by topic. The speaking tasks are intended to develop the functional and practical use of important grammar points and expressions from each section. Especially, all example dialogues in the speaking tasks can be checked using the listening materials. In the speaking tasks, the sections denoted by ▶ can be used as an expanded lesson with the corresponding material.

Quiz section consists of quizzes added at the end of each unit which review and check the learned content of that unit. The quizzes can be utilized to improve the grammatical understanding of the students and check the proficiency of foreign workers in the Korean language.

Culture section presents pictures and explanations about cultural information necessary to the foreign worker in Korea. This section helps the learner to understand Korean society better and makes learning Korean more engaging and fun. In this section also, the cultural information is printed in Korean in the back of the book for the benefit of the instructor.

Contents

Foreword

How to Use This Book

Lesson Plan Template

Appendix

Lesson Plan Template

단위	단원명	단원 내용
1	한글 1	Hangeul The 10 Basic Vowels ㅏ ㅓ ㅗ ㅜ ㅑ ㅕ ㅛ ㅠ ㅡ ㅣ Making Syllables Words
2	한글 2	The 14 Basic Consonants ㄱ ㄴ ㄷ ㄹ ㅁ ㅂ ㅅ ㅇ ㅈ ㅊ ㅋ ㅌ ㅍ ㅎ Making Syllables Words
3	한글 3	The 11 Combined Vowels ㅐ ㅒ ㅔ ㅖ ㅘ ㅙ ㅚ ㅝ ㅞ ㅟ ㅢ The 5 Double Consonants ㄲ ㄸ ㅃ ㅆ ㅉ Making Syllables Words
4	한글 4	Final Consonants Making Syllables Words
5	한글 5	Sentence Structure S+V, S+O+V Greetings Using a Dictionary

단위	단원명	문법과 표현	어휘	발음	과제 활동	문화
6	안녕하세요?	저는 ~입니다 어느 나라 사람입니까? (~은/는) ~입니까? ~에서 일합니다	나라 국적 직업 인사말	입니다 입니까 반갑습니다 중국 사람입니다	자기 소개하기 자기 소개의 대화 듣기 자기 소개의 글 읽기	직장에서의 인사말과 호칭
7	여기가 사무실입니다.	여기가 ~입니다 ~이/가 있습니다 ~이/가 ~에 있습니다	사무용품 장소 위치	사무실에 휴게실이 옆에 앞에	사람, 사물, 장소의 위치 말하기 장소의 위치에 대한 대화 듣기	윗사람에 대한 예절

단위	단원명	문법과 표현	어휘	발음	과제 활동	문화
8	직원이 다섯 명 있습니다.	전화번호가 몇 번입니까? 한, 두, 세, 네 + 명(개/마리) 몇 명(개/마리) 있습니까?	직급과 직원 수 (1) 수 (2) 단위	몇 번 몇 대 몇 명	사람과 사물의 수 말하기 사무실의 사람과 사물의 수에 대한 대화 듣기	한국어로 수 읽기
9	6시에 퇴근합니다.	~어/아요 이거 얼마예요? 깎아 주세요 여기 있어요	하루일과 시간 표현	출근 퇴근 회의	하루 일과 묻고 답하기 하루 일과에 대한 글 읽기 그림 보고 하루 일과 쓰기	주5일 근무제도
10	이거 얼마예요?	~어/아요 이거 얼마예요? 깎아 주세요 여기 있어요	생활용품 과일 수 (3) 지시어 형용사	사과 세 개 비싸요 싸요	물건 사기 가게에서의 대화 듣기	한국에서 물건 사기
11	불고기를 먹고 싶어요.	~(으)ㄹ까요? ~고 싶다 ~은/는, ~도	음식 맛	같이 붙이다	음식 주문하기 식당에서의 대화 듣기	한국 음식
12	지난 주말에 노래방에 갔어요.	안 + Verb ~에서 ~었/았습니다 ~하고 같이	요일 장소 주말 활동	일요일 월요일 목요일 금요일	과거 활동 말하기 지난 주말 활동에 대한 글 읽기	노래방, 찜질방, 만화방
13	가족이 몇 명입니까?	몇 살입니까? ~(으)시~ ~(으)러 가다/오다	가족 수 (4)	몇 살 다섯 살 일곱 살	가족 소개하기 가족에 대해 이야기하는 대화 듣기	가족 소개와 호칭
14	설악산에 갈 거예요.	~(으)로 ~부터 ~까지 ~(으)ㄹ 겁니다	교통수단 날짜	15일 25일 30일 31일	미래 계획 말하기 휴가 계획에 대한 대화 듣기	직장인의 여름휴가
15	김 과장님 좀 바꿔 주세요.	전화 표현 ~지요? ~(으)세요	전화 회사 업무	여보세요? 서울가구지요? 김 과장님이 시지요?	전화하기 전화로 약속하기 전화 대화 듣기	한국의 전화번호

Hangeul 1

Vowels

Hangeul

The consonants and vowels of Korean are called 'Hangeul'. It is a writing system invented by King Sejong and several scholars in the year 1443 A.D. Prior to its invention, Korean did not have its own writing system and so used Chinese characters, making it difficult for ordinary people to learn to read and write. Hangeul was invented so that it would be easy for everyone to learn.

Hangeul records all the sounds of Korean using 40 consonants and vowels. There are 21 vowels and 19 consonants. The basic 5 consonants were modeled after the shape of the vocal organs. All other consonants were modeled after those 5 consonants using additional strokes. The basic vowels were modeled after Heaven, Earth, and Man.

Hangeul is recognized as one of the most scientific and systematic writing systems in the world. It is a phonetic writing system, and can record any sound.

King Sejong

Vowels   모음

Hangeul is composed of consonants and vowels. The vowels consist of 10 basic vowels and 11 combined vowels created by combining the basic vowels for a total of 21 vowels as follows:

ㅏ	ㅐ	ㅑ	ㅒ	ㅓ	ㅔ	ㅕ
ㅖ	ㅗ	ㅘ	ㅙ	ㅚ	ㅛ	ㅜ
ㅝ	ㅞ	ㅟ	ㅠ	ㅡ	ㅢ	ㅣ

The 10 basic vowels are modeled after Heaven, Earth, and Man, as symbolized by ·, ─ and ㅣ, · symbolizes Heaven, ─ symbolizes Earth, and ㅣ symbolizes Man, in this case a standing person. All vowels are formed by combining these three.

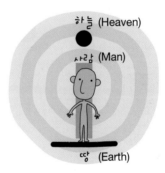

하늘 (Heaven)

사람 (Man)

땅 (Earth)

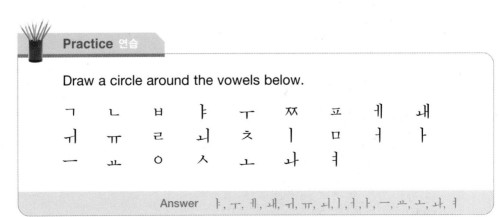

Practice 연습

Draw a circle around the vowels below.

ㄱ	ㄴ	ㅂ	ㅑ	ㅜ	ㅉ	ㅍ	ㅖ	ㅙ
ㅓ	ㅠ	ㄹ	ㅚ	ㅊ	ㅣ	ㅁ	ㅕ	ㅏ
ㅡ	ㅛ	ㅇ	ㅅ	ㅗ	ㅘ	ㅕ		

Answer   ㅑ, ㅜ, ㅖ, ㅙ, ㅓ, ㅠ, ㅚ, ㅣ, ㅕ, ㅏ, ㅡ, ㅛ, ㅗ, ㅘ, ㅕ

Reading Vowels

모음 읽기

Listen to the tape and try to pronounce the basic 10 vowels.

Letter	Sound Value
ㅏ	[a]
ㅑ	[ya]
ㅓ	[ə]
ㅕ	[yə]
ㅗ	[o]
ㅛ	[yo]
ㅜ	[u]
ㅠ	[yu]
ㅡ	[ɨ]
ㅣ	[i]

Practice 연습

Read the following.

ㅏ　ㅓ　ㅗ　ㅜ　ㅑ　ㅕ　ㅛ　ㅠ　ㅡ　ㅣ

Writing Vowels

Write the 10 basic vowels in order. Write from top to bottom, left to right.

Letter	Order	Practice			
ㅏ	ㅏ	ㅏ			
ㅑ	ㅑ	ㅑ			
ㅓ	ㅓ	ㅓ			
ㅕ	ㅕ	ㅕ			
ㅗ	ㅗ	ㅗ			
ㅛ	ㅛ	ㅛ			
ㅜ	ㅜ	ㅜ			
ㅠ	ㅠ	ㅠ			
ㅡ	ㅡ	ㅡ			
ㅣ	ㅣ	ㅣ			

Making Syllables 음절 만들기

Syllables are created when consonants meet vowels.

Among the vowels, there are vowels composed mainly of vertical stroke ㅣ and horizontal stroke ㅡ. The location of a vowel within a syllable is determined by whether it is a vertical or horizontal vowel.

ㅏ, ㅑ, ㅓ, ㅕ, ㅣ are vertical vowels. They are written to the right of the first consonant in the syllable.

Ex. ㄱ + ㅏ = 가

Ex. ㄴ + ㅓ = 너

ㅗ, ㅛ, ㅜ, ㅠ, ㅡ are horizontal vowels. They are written immediately below a syllable's first consonant.

Ex. ㄱ + ㅗ = 고

Ex. ㄴ + ㅜ = 누

There are cases where a syllable is composed only of a vowel.
Syllables are composed of a consonant in the initial position, a vowel in the medial position, and a consonant in the final position. However, when there is no consonant sound produced by the initial position, the consonant ㅇ is written. In such cases, ㅇ is silent and acts as a filler. Therefore, 이 is pronounced the same as ㅣ, 으 is pronounced the same as ㅡ.

Ex.
$$ㅇ + ㅣ = 이$$

Ex.
$$ㅇ + ㅡ = 으$$

Practice 연습

Write and read the letters below.

	ㅏ	ㅑ	ㅓ	ㅕ	ㅗ	ㅛ	ㅜ	ㅠ	ㅡ	ㅣ
ㅇ	아	야	어	여	오	요	우	유	으	이
ㅇ										

Words

Read the words below and practice writing each one. 📼

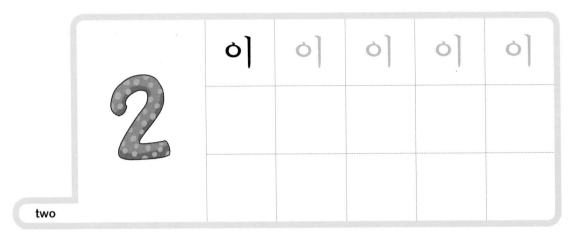

이 | 이 | 이 | 이 | 이

two

오 | 오 | 오 | 오 | 오

five

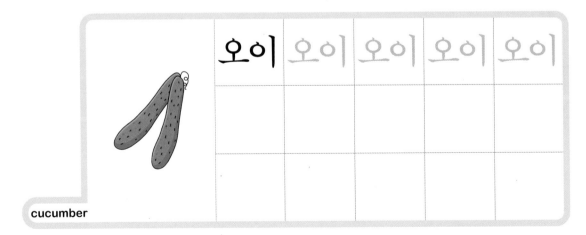

오이 | 오이 | 오이 | 오이 | 오이

cucumber

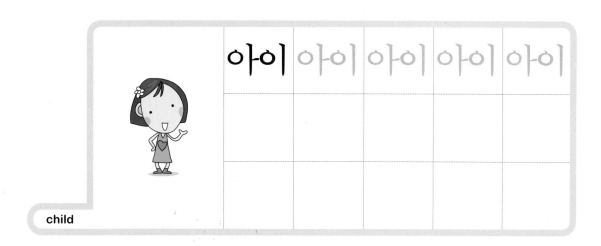

child

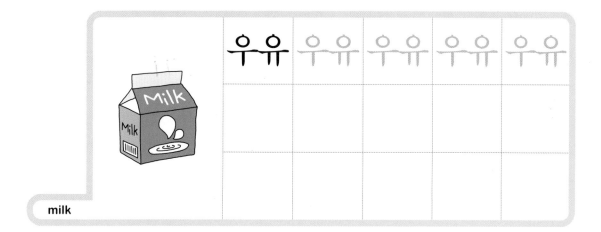

milk

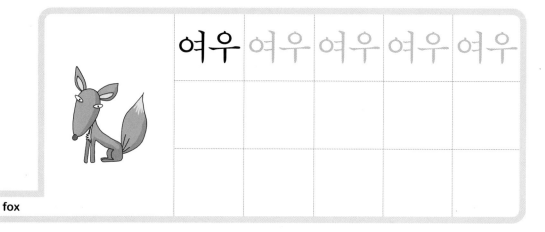

fox

1 Listen and select the correct answer. 📼

❶ a. 아 　　　 b. 어 　　　 c. 오 　　　 d. 우

❷ a. 아 　　　 b. 어 　　　 c. 오 　　　 d. 우

❸ a. 아 　　　 b. 야 　　　 c. 오 　　　 d. 요

❹ a. 어 　　　 b. 여 　　　 c. 우 　　　 d. 유

❺ a. 이 　　　 b. 유 　　　 c. 우 　　　 d. 으

2 Listen and write your answer. 📼

❶ _____

❷ _____

❸ _____

3 Read the following. 📼

❶ 이

❷ 유

❸ 오이

❹ 아이

❺ 우유

Consonants

Consonants

There are 19 consonants in Hangeul. You will learn the 14 basic consonants first. The basic consonants were modeled after the vocal organs; the mouth, lips, tongue, teeth, and throat.

ㄱ was modeled after the base of the tongue.

ㄴ was modeled after the tongue body.

ㅅ was modeled after the teeth.

ㅁ was modeled after the lips.

ㅇ was modeled after the glottis.

  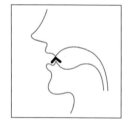

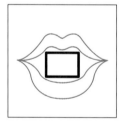 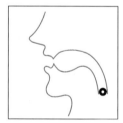

Each consonant has its own unique sound value and name. ㅇ, however, makes the sound [ㆁ] when it is in the syllable's final position, but it is silent when it is in the initial position.

Reading Consonants

The following are the 14 basic consonants. Consonants combine with vowels to make syllables and thereby create sound. Consonants have their own sound values, but they cannot produce sound on their own.

Each consonant has its own name, such as *gieok* (기역) and *nieun* (니은). Their names are only used to identify them.

Depending on what vowel follows the consonant and what position it is pronounced in within the syllable, a consonant might have more than one but nevertheless pronunciation.

Listen to the tape and try to pronounce the basic 14 consonants.

Letter	Sound Value	Name	Notes
ㄱ	[k], [g]	기역	When followed by any vowel or the consonants ㄴ, ㄹ, ㅁ, and ㅇ, the letter ㄱ is pronounced as [g]. (Ex. 아기, 농구)
ㄴ	[n]	니은	
ㄷ	[t], [d]	디귿	When followed by any vowel or the consonants ㄴ, ㄹ, ㅁ, and ㅇ, the letter ㄷ is pronounced as [d]. (Ex. 구두, 만두)
ㄹ	[r], [l]	리을	The letter ㄹ is always pronounced as [r] when between two vowels. (Ex. 사람) When ㄹ is in the final position and followed by a consonant it is pronounced as [l]. (Ex. 술집)
ㅁ	[m]	미음	
ㅂ	[p], [b]	비읍	When followed by any vowel or the consonants ㄴ, ㄹ, ㅁ, and ㅇ, the letter ㅂ is pronounced as [b]. (Ex. 아버지, 김밥)
ㅅ	[s], [sh]	시옷	The letter ㅅ is pronounced as [sh] when followed by ㅑ, ㅕ, ㅛ, ㅠ, ㅟ, and ㅣ. (Ex. 시계, 샤워, 쉬다)

ㅇ	[ŋ]	이응	Silent when in initial position within a syllable.
ㅈ	[c]	지읒	
ㅊ	[cʰ]	치읓	
ㅋ	[kʰ]	키읔	
ㅌ	[tʰ]	티읕	
ㅍ	[pʰ]	피읖	
ㅎ	[h]	히읗	

*ㅊ, ㅋ, ㅌ, ㅍ, and ㅎ are aspirated sounds. They are pronounced by emitting an audible rush of air from the lips.

Practice 연습

1 Read the following.

가 나 다 라 마 바 사 아 자 차 카 타 파 하

2 Compare the following as you read.

a. 가 카
b. 다 타
c. 자 차
d. 바 파

Writing Consonants

자음 쓰기

Write the basic 14 consonants in the correct stroke order.

Letter	Order	Practice				
ㄱ	ㄱ	ㄱ				
ㄴ	ㄴ	ㄴ				
ㄷ	ㄷ	ㄷ				
ㄹ	ㄹ	ㄹ				
ㅁ	ㅁ	ㅁ				
ㅂ	ㅂ	ㅂ				
ㅅ	ㅅ	ㅅ				
ㅇ	ㅇ	ㅇ				
ㅈ	ㅈ	ㅈ				
ㅊ	ㅊ	ㅊ				
ㅋ	ㅋ	ㅋ				
ㅌ	ㅌ	ㅌ				
ㅍ	ㅍ	ㅍ				
ㅎ	ㅎ	ㅎ				

Making Syllables

Consonants and vowels combine to create syllables. The letter in the initial position of the syllable is a consonant, and letter in the medial position is a vowel. The consonant is written to the left of a vertical vowel and immediately above a horizontal vowel. ㅏ, ㅑ, ㅓ, ㅕ, and ㅣ are vertical vowels, and ㅗ, ㅛ, ㅜ, ㅠ, and ㅡ are horizontal vowels.

Ex. ㄴ + ㅏ = 나

Ex. ㅈ + ㅓ = 저

Ex. ㅅ + ㅗ = 소

Ex. ㅂ + ㅜ = 부

Practice 연습

Using the graph below, make syllables and read them out loud.

	ㅏ	ㅓ	ㅗ	ㅜ	ㅡ	ㅣ
ㄱ	가	거	고	구	그	기
ㄴ	나	너	노	누	느	니
ㄷ	다	더	도	두	드	디
ㄹ	라	러	로	루	르	리
ㅁ	마	머	모	무	므	미
ㅂ	바	버	보	부	브	비
ㅅ	사	서	소	수	스	시
ㅇ	아	어	오	우	으	이
ㅈ	자	저	조	주	즈	지
ㅊ	차	처	초	추	츠	치
ㅋ	카	커	코	쿠	크	키
ㅌ	타	터	토	투	트	티
ㅍ	파	퍼	포	푸	프	피
ㅎ	하	허	호	후	흐	히

Read the words below and practice writing each one.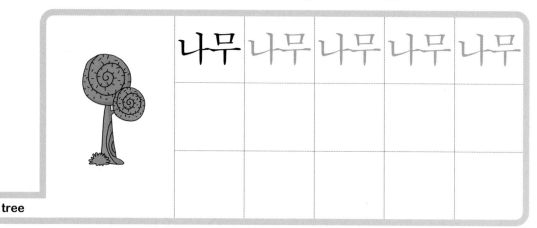

나무	나무	나무	나무	나무

tree

지도	지도	지도	지도	지도

map

머리	머리	머리	머리	머리

head

모자   모자   모자   모자   모자

hat

비누   비누   비누   비누   비누

soap

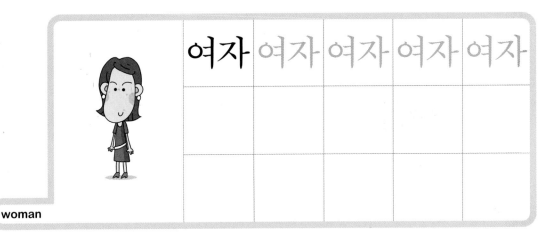

여자   여자   여자   여자   여자

woman

치마 치마 치마 치마 치마

skirt

휴지 휴지 휴지 휴지 휴지

tissue paper

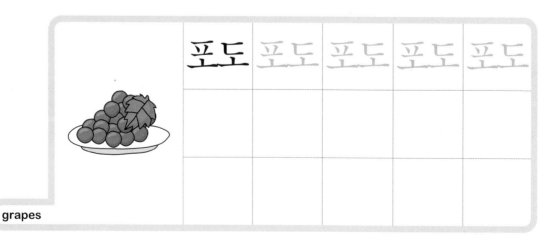

포도 포도 포도 포도 포도

grapes

구두	구두	구두	구두	구두

shoes

어머니	어머니	어머니	어머니

mother

차	차	차	차	차

car

1 Listen and select the correct answer. 📷

①   a. 비누   b. 나비   c. 나무

②   a. 모자   b. 지도   c. 바지

③   a. 차   b. 코   c. 피

④   a. 어머니   b. 바나나   c. 아버지

⑤   a. 지구   b. 주스   c. 구두

2 Listen and write your answer. 📷

① _____

② _____

③ _____

3 Read the following. 📷

① 구두

② 치마

③ 여자

④ 휴지

⑤ 아버지

Chap.

3

Hangeul 3

Combined Vowels &
Double Consonants

Reading the Combined Vowels   합성모음 읽기

In Chapter 1 we learned about the 10 basic vowels. Now we will study Hangeul's remaining vowels, the 11 combined vowels, which are formed by combinations of basic vowels.

Each vowel has its own sound value, but some are hard to differentiate in actual pronunciation. For example, there is no practical difference in pronunciation between ㅐ [æ] and ㅔ [e] and between ㅙ[wæ] and ㅚ [we].

Listen to the tape and try to pronounce the combined vowels.

Letter	Sound Value
ㅐ	[æ]
ㅒ	[yæ]
ㅔ	[e]
ㅖ	[ye]
ㅘ	[wa]
ㅙ	[wæ]
ㅚ	[we]
ㅝ	[wə]
ㅞ	[we]
ㅟ	[wi]
ㅢ	[ɨi]

Practice 연습

Read the following.

예　와　워　애　에　애　의　외　왜　웨

Writing the Combined Vowels　합성모음 쓰기

Write the following the 11 combined vowels in the correct stroke order.

Letter	Order	Practice
ㅐ	ㅐ	ㅐ
ㅒ	ㅒ	ㅒ
ㅔ	ㅔ	ㅔ
ㅖ	ㅖ	ㅖ
ㅘ	ㅘ	ㅘ
ㅙ	ㅙ	ㅙ
ㅚ	ㅚ	ㅚ
ㅝ	ㅝ	ㅝ
ㅞ	ㅞ	ㅞ
ㅟ	ㅟ	ㅟ
ㅢ	ㅢ	ㅢ

Reading the Double Consonants 겹자음 읽기

Hangeul has a total of 19 consonants. Those 19 include the 14 basic consonants in Chapter 2 and an additional 5 double consonants. Double consonants are formed by combinations of basic consonants. They are all 'tensed sounds' pronounced with tension in the tongue muscle.

Listen to the tape and try to pronounce the double consonants.

Letter	Sound Value	Name
ㄲ	[k']	쌍기역
ㄸ	[t']	쌍디귿
ㅃ	[p']	쌍비읍
ㅆ	[s']	쌍시옷
ㅉ	[c']	쌍지읒

Some consonants are classified according to their articulation method. Plain consonants are pronounced with no plosion of air or tension. Aspirated consonants are pronounced by making a strong plosion of air outwards from the mouth.

plain consonant	ㄱ	ㄷ	ㅂ	ㅅ	ㅈ
aspirated consonant	ㅋ	ㅌ	ㅍ		ㅊ
tensed consonant	ㄲ	ㄸ	ㅃ	ㅆ	ㅉ

Practice 연습

Determine the difference and pronounce each set below.

1. 가　　카　　까　　　　2. 다　　타　　따
3. 비　　피　　삐　　　　4. 자다　차다　짜다
5. 사다　싸다

Words

Read the words below and practice writing each one.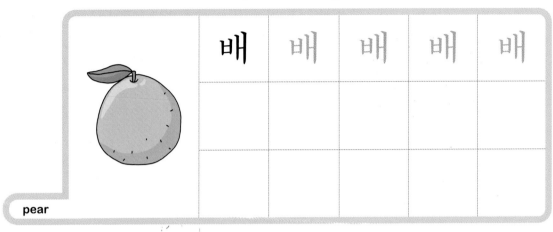

	배	배	배	배	배
pear					

	개	개	개	개	개
dog					

	새	새	새	새	새
bird					

애기	애기	애기	애기	애기

talk

게	게	게	게	게

crab

카메라	카메라	카메라

camera

짜다 | 짜다 | 짜다 | 짜다 | 짜다

Salty

쓰레기 | 쓰레기 | 쓰레기

garbage

토끼 | 토끼 | 토끼 | 토끼 | 토끼

rabbit

시계	시계	시계	시계	시계

clock

사과	사과	사과	사과	사과

apple

과자	과자	과자	과자	과자

cookie, cracker

찌개 찌개 찌개 찌개 찌개

stew

뿌리 뿌리 뿌리 뿌리 뿌리

root

돼지 돼지 돼지 돼지 돼지

pig

귀 | 귀 | 귀 | 귀 | 귀

ear

쥐 | 쥐 | 쥐 | 쥐 | 쥐

mouse

가위 | 가위 | 가위 | 가위 | 가위

scissors

의사 | 의사 | 의사 | 의사 | 의사

doctor

의자 | 의자 | 의자 | 의자 | 의자

chair

Quiz

1 Read the following.📼

  ① 뿌리   ② 쓰레기   ③ 돼지   ④ 교회

  ⑤ 코끼리   ⑥ 개미   ⑦ 허리띠

2 Listen and select the correct answer.📼

  ① a. 비   b. 피   c. 삐

  ② a. 자다   b. 차다   c. 짜다

  ③ a. 의자   b. 의사   c. 회사

  ④ a. 위   b. 귀   c. 쥐

3 Listen and write your answer.📼

  ① _____

  ② _____

  ③ _____

4 Connect the words that go together.

  ① 시계   ② 의자   ③ 사과   ④ 가위

  a.   b.   c.   d.

Hangeul 4

Final Consonants

Final Consonants

Hangeul requires that orthographic syllables are formed by a combination of consonants and vowels.

Syllables come in many forms. One of those forms are syllables composed of consonant, vowel, and consonant, in that order. The consonant in the final position, the final consonant, is called the *bachim* (받침).

학   간   올   닭

Any consonant may be a final consonant, but only seven sounds may come from the end of syllables, meaning that all consonants change to be pronounced as one of those seven sounds.

Final Consonant		Sound Value
ㄱ, ㅋ, ㄲ	→	[-k]
ㄴ	→	[-n]
ㄷ, ㅅ, ㅈ, ㅊ, ㅌ, ㅎ, ㅆ	→	[-t]
ㄹ	→	[-l]
ㅁ	→	[-m]
ㅂ, ㅍ	→	[-p]
ㅇ	→	[-ŋ]

Reading the Final Consonants 받침 읽기

Read the following, remembering to look at the final consonants. Listen to the tape and then pronounce the words.

Final Consonant	Sound Value	Words
ㄱ, ㅋ, ㄲ	[-k]	목, 부엌, 밖
ㄴ	[-n]	산, 눈, 편지
ㄷ, ㅅ, ㅈ ㅊ, ㅌ, ㅎ, ㅆ	[-t]	듣다, 옷, 짓다, 꽃, 끝, 하얗다, 있다
ㄹ	[-l]	달, 발
ㅁ	[-m]	밤, 몸
ㅂ, ㅍ	[-p]	밥, 앞
ㅇ	[-ŋ]	강, 방

Practice 연습

1   Circle the five words which have syllables ending in final consonants pronounced as [-t].

낮, 밥, 빵, 숲, 책, 노랗다, 딸기, 밑, 빗, 꽃

2   Circle the three words which have syllables ending in final consonants pronounced as [-k].

발, 밖, 식, 솥, 짐, 억, 빵

Answer   1 낮, 노랗다, 밑, 빗, 꽃   2 밖, 식, 억

Making Syllables　음절 만들기

'Consonant + vowel + consonant' combinations form syllables as follows.

> **Ex.** ㅂ + ㅏ + ㅇ = 방

> **Ex.** ㄱ + ㅗ + ㅁ = 곰

> **Ex.** ㅅ + ㅟ + ㅂ = 쉽

Practice 연습

Write syllables as below.

1. ㅂ + ㅕ + ㄱ = 벽
2. ㄴ + ㅜ + ㄴ = 눈
3. ㄲ + ㅡ + ㅌ = 끝
4. ㄱ + ㅘ + ㅇ = 광
5. ㄴ + ㅏ + ㄹ = 날
6. ㅅ + ㅜ + ㄷ = 순
7. ㅊ + ㅓ + ㅅ = 첫
8. ㅇ + ㅝ + ㄹ = 월
9. ㅈ + ㅜ + ㄱ = 죽
10. ㅈ + ㅣ + ㅂ = 집

Dual Final Consonants 겹받침

There are instances where a syllable's final consonant is a dual consonant. In such dual consonants, sometimes it is the first of the two consonants that registers sound, and sometimes it is the second of the two consonants that registers sound.

Cases where the first of the two consonants register sound: ㄵ, ㄼ, ㅄ

앉다 [안따] 여덟 [여덜]

값 [갑] 없다 [업따]

Cases where the second of the two consonants register sound: ㄺ, ㄻ

닭 [닥] 맑다 [막따]

젊다 [점따]

 **Practice** 연습

Read the following.

앉다, 여덟, 값, 없다, 닭, 맑다, 젊다

Words

Read the words below and practice writing each one. 🔲

책	책	책	책	책

book

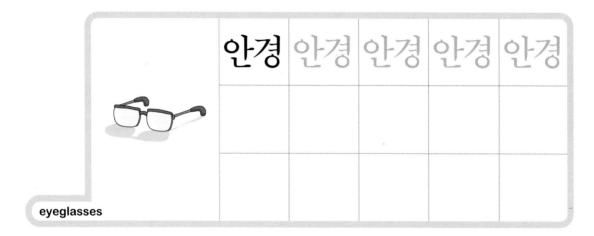

책상	책상	책상	책상	책상

desk

안경	안경	안경	안경	안경

eyeglasses

우산 | 우산 | 우산 | 우산 | 우산

umbrella

전화 | 전화 | 전화 | 전화 | 전화

telephone

눈 | 눈 | 눈 | 눈 | 눈

eye

발 | 발 | 발 | 발 | 발

foot

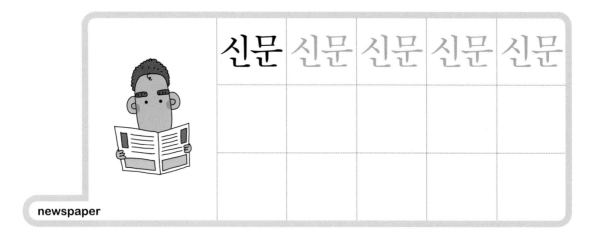

신문 | 신문 | 신문 | 신문 | 신문

newspaper

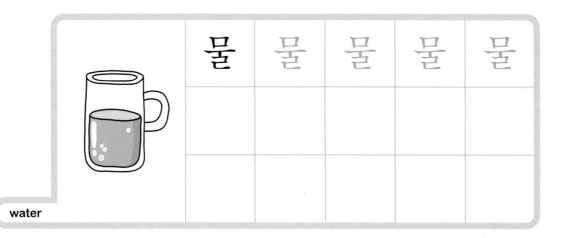

물 | 물 | 물 | 물 | 물

water

가방	가방	가방	가방	가방

bag

꽃	꽃	꽃	꽃	꽃

flower

빵	빵	빵	빵	빵

bread

열쇠 | 열쇠 | 열쇠 | 열쇠 | 열쇠

key

칼 | 칼 | 칼 | 칼 | 칼

knife

과일 | 과일 | 과일 | 과일 | 과일

fruit

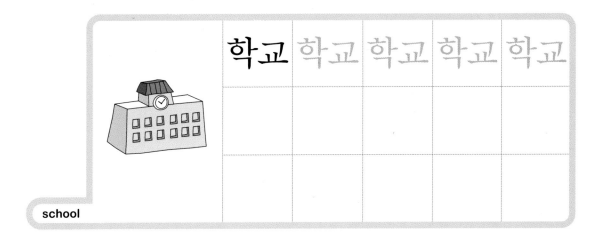

school

Korea

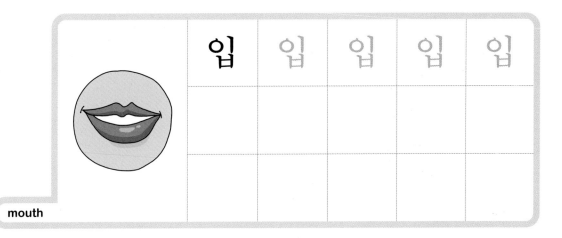

mouth

1 Read the following. 📼

　❶ 끝　　　　❷ 앉다　　　　❸ 닭고기　　　　❹ 옷

　❺ 밖　　　　❻ 과일　　　　❼ 칼

2 Listen and select the correct answer. 📼

❶　a. 밤　　　　b. 밥　　　　c. 방

❷　a. 삽　　　　b. 살　　　　c. 상

❸　a. 옷　　　　b. 잎　　　　c. 빗

❹　a. 한국　　　b. 학교　　　c. 교실

3 Listen and write your answer. 📼

❶ _____

❷ _____

❸ _____

4 Connect the words that go together.

❶ 우산　　　　❷ 안경　　　　❸ 가방　　　　❹ 책상
　　·　　　　　　·　　　　　　　·　　　　　　·

　　　·　　　　　　·　　　　　　·　　　　　　·
a.　　　　　b.　　　　　c.　　　　　d.

Sentences

Korean sentences are ordered as follows: subject + verb, or subject + object + verb.

subject + verb
아이가 잡니다.
The child is sleeping.

subject + verb
아이가 갑니다.
The child goes.

subject + object + verb
제임스가 빵을 먹습니다.
James is eating bread.

subject + object + verb
제임스가 바나나를 먹습니다.
James is eating a banana.

Sometimes the order of the subject and object may switch places and come in reverse order. You can still tell which is the subject and which is the object by the grammatical particles that come immediately after each. In addition, sometimes the subject is left out of the sentence completely, when it is evident because of context.

빵을 제임스가 먹습니다.
(제임스가) 빵을 먹습니다.

Subjects are immediately followed by the subject particle either 이 or 가, while objects are immediately followed by object particles 을 and 를.

The subject has either 이 or 가 are attached to the end of it. If the final syllable of the word that is the subject ends with a consonant the subject particle 이 is used, and if the final letter in the word that is the subject is a vowel the subject particle 가 is used. 이 and 가 do not mean anything independently. They merely perform the function of indicating which word is the subject of the sentence.

학생 + 이   제임스 + 가

선생님 + 이   아이 + 가

Objects have either 을 or 를 attached to them. If the last syllable in the word that is the object ends with a consonant, the object particle 을 is used, and if the final letter in the word that is the object ends with a vowel, the object particle 를 is used. 을 and 를 do not mean anything independently. They merely perform the function of indicating which word is the object of the sentence.

빵 + 을   우유 + 를

과일 + 을   사과 + 를

Korean verbs and adjectives are conjugated to express tense, honorifics, passivity, and causativity. A basic form is composed of a word stem and 다. When conjugating, the 다 is left off and a different form is attached to the end of stem.

가다 (Basic form)   갑니다

가십니다   갔습니다

Practice 연습

1 Choose the correct particle for each word.

a. 학생 (이, 가)   b. 선생님 (이, 가)

c. 아이 (이, 가)   d. 포도 (을, 를)

e. 밥 (을, 를)   f. 우유 (을, 를)

2 Look at the drawing and write the words in the correct order.

a.

잡니다, 제임스가

→ _____

b.

민수가, 마십니다, 우유를

→ _____

c.

책을, 읽습니다, 학생이

→ _____

d.

어머니가, 텔레비전을, 봅니다

→ _____

Answer

1   a. 이,   b. 이,   c. 가,   d. 를,   e. 을,   f. 를

2   a. 제임스가 잡니다.   b. 민수가 우유를 마십니다.
     c. 학생이 책을 읽습니다.   d. 어머니가 텔레비전을 봅니다.

Greetings

Let's study the more frequent ways Koreans greet each other. Listen to the tape and repeat the greetings naturally.

안녕하세요?
Hello?
("Are you in peace?")

안녕하세요?
Hello?
("Are you in peace?")

안녕히 가세요.
Goodbye.
("Go in peace.")

안녕히 계세요.
Goodbye.
("Stay in peace.")

감사합니다.
Thank you.

천만에요.
You're welcome.

미안합니다.
I'm sorry.

괜찮습니다.
That's okay.

여보세요?
Hello?
(on the telephone)

여보세요?
Hello?
(on the telephone)

실례합니다!
Excuse me.

Using a Dictionary

When you don't know a Korean word you'll have to find it in a dictionary. When using a dictionary, you have to follow the order of consonants and vowels. The order of consonants and vowels in Korean dictionaries are as follows.

CONSONANTS

ㄱ	ㄲ	ㄴ	ㄷ	ㄸ	ㄹ	ㅁ
ㅂ	ㅃ	ㅅ	ㅆ	ㅇ	ㅈ	ㅉ
ㅊ	ㅉ	ㅋ	ㅌ	ㅍ	ㅎ	

VOWELS

ㅏ	ㅐ	ㅑ	ㅒ	ㅓ	ㅔ	ㅕ
ㅖ	ㅗ	ㅘ	ㅙ	ㅚ	ㅛ	ㅜ
ㅝ	ㅞ	ㅟ	ㅠ	ㅡ	ㅢ	ㅣ

Words that start with ㄱ come before words that start with other consonants. 가 comes before 개, and 각 comes before 간 or 갈, and so on.

가 - 개 - 게 - 구 - 기

가 - 나 - 마 - 사 - 하

각 - 간 - 감 - 갓 - 강

Practice 연습

1 Arrange the following words in dictionary order.

> **Ex.** 밥 발 말 맛 옷
> → (말) - (맛) - (발) - (밥) - (옷)

a. 모자 과일 입 시계
→ (   ) - (   ) - (   ) - (   )

b. 전화 생선 아이 가위
→ (   ) - (   ) - (   ) - (   )

c. 발 안경 개 우유
→ (   ) - (   ) - (   ) - (   )

d. 돼지 게 포도 비누
→ (   ) - (   ) - (   ) - (   )

2 Find the following words and write their meaning.

a. 행복 (   )

b. 열쇠 (   )

c. 거울 (   )

d. 운동 (   )

Answer 1 a. (과일) - (모자) - (시계)- (입)   b. (가위) - (생선) - (아이)- (전화)
c. (개) - (발) - (안경)- (우유)   d. (게) - (돼지) - (비누)- (포도)
2 a. happiness   b. key   c. mirror   d. sports, exercise

1 Choose the correct subject and object particles.

➊ 왕핑(이, 가) 텔레비전(을, 를) 봅니다.

➋ 수지(이, 가) 사과(을, 를) 좋아합니다.

➌ 제임스(이, 가) 커피(을, 를) 마십니다.

➍ 아이(이, 가) 아이스크림(을, 를) 먹습니다.

2 Listen then fill in the blanks. 📼

➊ 학생이 _____ 읽습니다.

➋ 민수가 _____ 먹습니다.

➌ _____ 우유를 마십니다.

➍ _____ 과일을 좋아합니다.

3 Choose the proper response.

➊ A: 안녕하세요?

  B: _____

  a. 안녕하세요?　　　　　　　　b. 여보세요?

➋ A: 안녕히 계세요.

  B: _____

  a. 안녕하세요?　　　　　　　　b. 안녕히 가세요.

➌ A: 감사합니다.

  B: _____

  a. 미안합니다.　　　　　　　　b. 천만에요.

안녕하세요?

1 Words for countries, nationalities, occupations

2 Declarative and interrogative sentence endings 입니다, 입니까?

3 Introducing yourself

Dialog

1

김진수   **안녕하세요¹? 저는 김진수입니다.**
Hello. I am Kim Jinsu.

왕런궈   **안녕하세요? 저는 왕런궈입니다.**
Hello. I am Wang Renguo.

김진수   **만나서 반갑습니다².**
I'm pleased to meet you.

왕런궈   **만나서 반갑습니다.**
I'm pleased to meet you.

📞 **Pronunciation 발음** 📻

- 입니다 is pronounced [임니다] and 습니다 is pronounced [슴니다].

입니다 [임니다]   입니까 [임니까]

반갑습니다 [반갑씀니다]   중국 사람입니다 [중국 사라밈니다]

2

김진수   **왕런궈 씨는 어느 나라 사람입니까[3]?**
Mr. Wang Renguo, what country are you from?

왕런궈   **중국 사람[4]입니다.**
I'm Chinese.

김진수   **회사원[5]입니까?**
Are you an company worker?

왕런궈   **네. 현대가구에서 일합니다[6].**
Yes. I work for Hyundai Furniture.

New Words & Phrases 새 단어와 어구 🔊

1	안녕하세요?	Hello
2	만나서 반갑습니다.	(I'm) pleased to meet you.
3	어느 나라 사람입니까?	What nationality are you?
4	중국 사람	Chinese
5	회사원	office worker
6	○○에서 일합니다	I work at ○○

Vocabulary 활용어휘

① Country 나라

1	한국	Korea
2	일본	Japan
3	중국	China
4	인도네시아	Indonesia
5	말레이시아	Malaysia
6	방글라데시	Bangladesh
7	베트남	Vietnam
8	필리핀	Philippines
9	파키스탄	Pakistan
10	미국	USA
11	호주	Australia

② Nationality 국적

한국 사람	Korean	일본 사람	Japanese
중국 사람	Chinese	인도네시아 사람	Indonesian
베트남 사람	Vietnamese	필리핀 사람	Filipino
미국 사람	American	독일 사람	German

③ Occupations 직업

선생님	teacher	회사원	office worker

④ Greetings 인사말

안녕하세요./안녕하십니까.	Hello.
만나서 반갑습니다.	I'm pleased to meet you.
처음 뵙겠습니다.	We meet for the first time.

Grammar & Expressions

 저는 ~입니다

This is an expression used when you tell someone of your name, nationality, occupation, and other information. It is like saying "저는 + name/nationality/profession + 입니다." When you tell a third person about someone else, you use "○○씨는 + name/nationality/profession + 입니다." The 는 in 저는 is used because the letter in the syllable immediately preceeding it is a vowel.

A 저는 이수진입니다.
I am Yi Sujin.

B 저는 알렌입니다.
I am Allen.

A 저는 한국 사람입니다.
I am Korean.

B 저는 필리핀 사람입니다.
I am Filipino.

A 티툰은 회사원입니다.
Titun is a company worker.

B 제임스는 학생입니다.
James is a student.

Korean has two words for 'I' or 'me', namely 나 and 저. 저 is a term of humility, and so it is used when you introduce yourself to someone for the first time.

② 어느 나라 사람입니까?

This question can be used when asking a person's nationality.

A 어느 나라 사람입니까?	What nationality are you?
B 일본 사람입니다.	I am Japanese.
A 어느 나라 사람입니까?	What country are you from?
B 인도네시아 사람입니다.	I am Indonesian.

③ (~은/는) ~입니까?

입니까 is the interrogative form of 입니다. You can use it to ask someone's name, nationality, occupation, and similar information. The intonation rises at the end of 입니까.

A 중국 사람입니까?	Are you Chinese?
B 네, 중국 사람입니다.	Yes, I am Chinese.
A 마이클 씨는 학생입니까?	Michael, are you a student?
B 아니요, 선생님입니다.	No, I am a teacher.

④ ~에서 일합니다

This expression may be used when telling someone about where you work.

현대자동차에서 일합니다.	I work at Hyundai Motors.
가구 회사에서 일합니다.	I work at a furniture company.
신발 공장에서 일합니다.	I work at a shoe company.

1 저는 ~입니다

Make sentences similar to the example.

> **Ex.** 저, 박영수 → <u>저는 박영수입니다.</u>

❶ 저, 마이클 → _____

❷ 저, 일본 사람 → _____

❸ 저, 회사원 → _____

2 어느 나라 사람입니까?

Look at the pictures below and complete the sentences.

> **Ex.** A 어느 나라 사람입니까?
> B <u>베트남</u> 사람입니다.

❶ A 어느 나라 사람입니까?
　　B _____입니다.

❷ A 어느 나라 사람입니까?
　　B _____입니다.

❸ A 어느 나라 사람입니까?
　　B _____입니다.

3 ~은/는 ~입니까?

Change the sentences to interrogative form.

| Ex. | 미국 사람입니다. | → | 미국 사람입니까? |

❶ 회사원입니다. → _____

❷ 선생님입니다. → _____

❸ 왕핑 씨는 중국 사람입니다. → _____

❹ 이안 씨는 필리핀 사람입니다. → _____

4 ~에서 일합니다

Make sentences similar to the example.

| Ex. | 한국 회사 | → | 한국 회사에서 일합니다. |

❶ 한국자동차 → _____

❷ 가구 회사 → _____

❸ 신발 공장 → _____

Tasks 과제 활동

⚜ **Speaking** 말하기 ⚜

Introduce yourself as in the example. 📼

Ex.

이름 : 디나
나라 : 필리핀
직업 : 회사원
회사 : 한국자동차

안녕하세요? 저는 **디나**입니다.
저는 **필리핀 사람**입니다.
회사원입니다. **한국자동차**에서 일합니다.
만나서 반갑습니다.

---

❶

이름 : 왕핑
나라 : 중국
직업 : 회사원
회사 : 컴퓨터 회사

안녕하세요? 저는 _____입니다.
저는 _____입니다.
_____입니다. _____에서 일합니다.
만나서 반갑습니다.

---

❷

이름 : 티툰
나라 : 방글라데시
직업 : 회사원
회사 : 가구 공장

안녕하세요? 저는 _____입니다.
저는 _____입니다.
_____입니다. _____에서 일합니다.
만나서 반갑습니다.

---

❸

이름 : 모하메드
나라 : 인도
직업 : 학생

안녕하세요? 저는 _____입니다.
저는 _____입니다.
_____입니다.
만나서 반갑습니다.

▶ Introduce yourself to a classmate, telling him or her your name, nationality, occupation, and place of work.

✸ Reading 읽기 ✸

Read the following and check (√) the right answer.

> 안녕하세요? 저는 이안 로페즈입니다.
> 베트남 사람입니다.
> 저는 자동차 회사에서 일합니다.
> 만나서 반갑습니다.

❶ 이안 씨는 파키스탄 사람입니다.　　　☐ 네　　☐ 아니요

❷ 이안 씨는 학교 선생님입니다.　　　☐ 네　　☐ 아니요

❸ 이안 씨는 회사원입니다.　　　☐ 네　　☐ 아니요

✸ Listening 듣기 ✸

Wang Jou and Kim Minsu are meeting each other for the first time. Listen to the dialogue and choose the right answer. 📼

❶ 왕조우 씨는 _____ 입니다.

　a. 한국 사람　　　b. 중국 사람　　　c. 파키스탄 사람

❷ 왕조우 씨는 _____ 입니다.

　a. 학생　　　b. 회사원　　　c. 선생님

❸ 왕조우 씨는 _____ 에서 일합니다.

　a. 한국가구　　　b. 한국자동차　　　c. 한국학교

1 Choose the correct answer.

❶ 마이클 씨_____ 캐나다 사람입니다.
   a. 은   b. 는   c. 에서

❷ 저는 회사원입니다. 컴퓨터 회사_____ 일합니다.
   a. 은   b. 는   c. 에서

2 Choose the answer appropriate for the dialogue.

❶ A   일본 사람입니까?
   B   _____.

   a. 마이클입니다   b. 네, 중국 사람입니다   c. 아니요, 미국 사람입니다

❷ A   회사원입니까?
   B   _____.

   a. 네, 한국 사람입니다   b. 네, 학생입니다   c. 네, 회사원입니다

❸ A   어느 나라 사람입니까?
   B   _____.

   a. 회사원입니다   b. 한국가구에서 일합니다 c. 파키스탄 사람입니다

❹ A   만나서 반갑습니다.
   B   _____.

   a. 만나서 반갑습니다   b. 안녕히 계세요   c. 저는 한국 사람입니다

Names and Titles in the Workplace

Basic greetings between Koreans are 안녕하세요 and 안녕하십니까. Of these, 안녕하십니까 is more formal, but each is used without differences in meaning. Both are used without regard for the time of day and are spoken while bowing or shaking hands.

When calling or referring to a superior at your place of work, you should use titles such as 사장님 and 과장님. The suffix 님 carries respect. When calling or referring to a coworker or subordinate you should use 씨 at after the person's name, as in 김진수 씨. 씨 has the approximate meaning of 'Mr.', 'Ms.', or 'Miss.'

여기가 사무실입니다.

Dialog

1

티 툰 여기¹가 사무실²입니다.
This is an office.

김진수 컴퓨터³가 있습니까⁴?
Does the office have computers?

티 툰 네, 있습니다.
Yes, it does.

김진수 복사기⁵가 있습니까?
Is there a photocopy machine?

티 툰 아니요, 없습니다⁶.
No, there is not.

Pronunciation 발음 📼

- When a final consonant is followed by on ㅇ in the syllable that follows it, the last sound in the final consonant is pronounced as the first sound in the new syllable.

사무실에 [사무시레]   휴게실이 [휴게시리]   옆에 [여페]   앞에 [아페]

2

김진수   휴게실[7]이 어디에[8] 있습니까?
Where is the lounge?

티 툰   사무실 옆에[9] 있습니다.
It is next to the office.

김진수   식당[10]이 어디에 있습니까?
Where is the cafeteria?

티 툰   사무실 뒤에[11] 있습니다.
It is behind the office.

New Words & Phrases 새 단어와 어구 📼

1	여기	Here(this)	2	사무실	office
3	컴퓨터	computer	4	있습니까	Is there _____
5	복사기	photocopy machine	6	없습니다	There is no _____
7	휴게실	lounge	8	어디(에)	where
9	옆(에)	next to	10	식당	restaurant/cafeteria
11	뒤(에)	behind			

Vocabulary 활용어휘

1 Office Equipment 사무용품

책상	desk	의자	chair
전화	telephone	컴퓨터	computer
복사기	photocopy machine	팩시밀리	fax machine
서류 ,	documents		

2 Places 장소

회사	company	사무실	office
휴게실	lounge	기숙사	dormitory
집	house	가게	store
식당	restaurant, cafereria	학교	school
은행	bank	병원	hospital
카페	cafe		

3 Locations (of objects) 위치

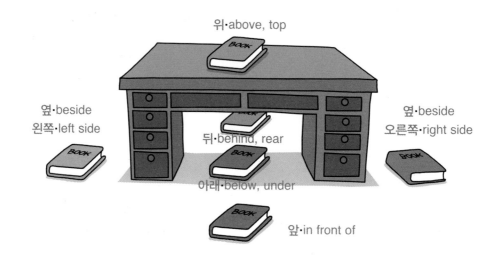

위·above, top

옆·beside
왼쪽·left side

뒤·behind, rear

옆·beside
오른쪽·right side

아래·below, under

앞·in front of

Grammar & Expressions 문법과 표현

① 여기가 ~입니다

This expression may be used by the speaker to express where he is. In addition to 여기, 거기 and 저기 may also be used. 거기 is used when the person being spoken to is at the location that is being talked about, or by the speaker and listener when they are talking about a place that is mentioned in their dialogue or by context. 저기 is used to refer to a place that is far from both the speaker and listener.

민호　여기가 제 방입니다.
This is my room.

사라　민호 씨, 거기가 어디입니까?
Minho, where are you?

민호　여기는 기숙사입니다.
This is my dormitory.

사라　식당 옆에 휴게실이 있습니다.
There is a lounge near the cafeteria.

민호　거기에 자동판매기가 있습니까?
Is there a vending machine?

사라　저기가 어디입니까?
Where is that?

민호　안경 가게입니다.
An eyewear store.

② ~이/가 있습니다

This expression is used to express whether something, or someone, exists at a given place. When the subject ends with a vowel, the subject particle to be used is 가, and when the subject ends with a consonant, use the subject particle 이.

A	전화가 있습니까?	Is there a telephone?
B	네, 있습니다.	Yes, there is.
A	티툰 씨가 있습니까?	Is Titun here (there)?
B	네, 티툰 씨가 있습니다.	Yes, Titun is here (there).
A	사장님이 계십니까?	Is company president in?
B	아니요, 사장님이 안 계십니다.	No, he is not.

The honorific form of 있습니다 for a person is 계십니다. When you wish to say that a superior is present, use 계십니다 instead of 있습니다. When you want to say that a superior is not present, use 안 계십니다 instead of 없습니다.

③ ~이/가 ~에 있습니다

This expression is used to tell where something, or someone, is at a given location. 에 is attached to the end of a noun for place or location.

A	서류가 어디에 있습니까?	Where are the documents?
B	책상 위에 있습니다.	They are on the desk.
A	휴게실이 사무실 옆에 있습니까?	Is the lounge next to the office?
B	네, 사무실 옆에 있습니다.	Yes, it is next to the office.

1 위, 밑, 옆, 앞, 뒤

Look at the picture below and complete the sentences.

> **Ex.**   책상 <u>뒤</u>에 복사기가 있습니다.

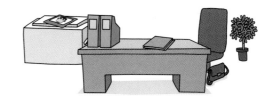

❶   서류가 책상 ＿＿ 있습니다.

❷   의자가 책상 ＿＿ 있습니다.

❸   복사기 ＿＿ 사진이 있습니다.

❹   가방이 의자 ＿＿ 있습니다.

2 ~이/가 있습니다

Answer the questions below.

> **Ex.**   A   책상이 있습니까?   B   네, <u>책상이 있습니다.</u>

❶   A   컴퓨터가 있습니까?   B   아니요, ＿＿＿＿＿＿＿＿＿

❷   A   전화가 있습니까?   B   네, ＿＿＿＿＿＿＿＿＿

❸   A   식당이 있습니까?   B   네, ＿＿＿＿＿＿＿＿＿

❹   A   은행이 있습니까?   B   아니요, ＿＿＿＿＿＿＿＿＿

❺   A   사장님이 계십니까?   B   네, ＿＿＿＿＿＿＿＿＿

3 ~이/가 ~에 있습니다

Put the words in the correct order to complete the sentences.

> **Ex.**　　　있습니다, 책이, 위에, 책상
> ⋯▸ 책이 <u>책상 위에 있습니다</u>.

❶　서류가, 밑에, 의자, 있습니다
　⋯▸ 서류가 ＿＿＿＿＿＿＿＿＿＿＿＿＿

❷　식당, 왼쪽에, 가게가, 있습니다
　⋯▸ 가게가 ＿＿＿＿＿＿＿＿＿＿＿＿＿

❸　어디에, 있습니까, 화장실이
　⋯▸ 화장실이 ＿＿＿＿＿＿＿＿＿＿＿＿

❹　기숙사, 있습니다, 오른쪽에, 가게가
　⋯▸ 가게가 ＿＿＿＿＿＿＿＿＿＿＿＿＿

❺　없습니다, 팩시밀리가, 사무실에
　⋯▸ 사무실에 ＿＿＿＿＿＿＿＿＿＿＿＿

Tasks 과제 활동

✺ **Speaking** 말하기 ✺

Talk about the locations of the following items, people, and places.

Ex.	서류 컴퓨터 팩시밀리 가방

컴퓨터가 책상 위에 있습니다.

팩시밀리가 책상 옆에 있습니다.

서류가 복사기 위에 있습니다.

가방이 의자 밑에 있습니다.

❶

사무실/왕핑 씨   식당/수지 씨

학교/선생님   사장실/사장님

왕핑 씨가 사무실에 있습니다.

수지 씨가 _____

선생님이 _____

사장님이 _____

❷

기숙사

BANK

학교

병원

은행

카페

학교가 기숙사 옆에 있습니다.

병원이 카페 _____

카페가 병원 _____

은행이 병원 _____

기숙사가 은행 _____

▶ With a classmate, ask and answer questions about location.

> **Ex.**
>
> A 컴퓨터가 복사기 위에 있습니까?
>
> B 아니요, 책상 위에 있습니다.

▶ Discuss what items are located where you are, and talk about where they are near you. Also discuss what is located near the building where you study.

······················· ❀ **Listening** 듣기 ❀ ·······················

Wang Ping is asking about the company to Bak Yeongjin. Listen carefully and choose the best answer in the following conversation.

❶ 회사에 무엇이 없습니까?

   a. 기숙사   b. 사무실   c. 식당

❷ 휴게실이 어디에 있습니까?

   a. 화장실 옆에   b. 화장실 앞에   c. 화장실 뒤에

1 Choose the correct answer.

❶ 여기_____ 저희 회사입니다.

   a. 가   b. 에   c. 를

❷ 휴게실_____ 소파가 있습니까?

   a. 가   b. 에   c. 를

❸ 왕핑 씨_____ 사무실에 있습니다.

   a. 가   b. 에   c. 를

2 Choose the answer appropriate for the dialogue.

❶ A 가게가 은행 옆에 있습니까?

  B _____

  a. 여기가 은행입니다.
  b. 네, 가게가 있습니다.
  c. 아니요, 은행 앞에 있습니다.

❷ A 방에 무엇이 있습니까?

  B _____

  a. 의자가 있습니다.
  b. 여기가 방입니다.
  c. 네, 방입니다.

3 Write the words having an opposite meaning.

❶ 앞 ↔ (　　)   ❷ 오른쪽 ↔ (　　)

❸ 위 ↔ (　　)   ❹ 있습니다 ↔ (　　)

Etiquette Towards Superiors

Korea has long considered proper etiquette towards superiors to be of importance. Therefore, it is important for a subordinate to behave with proper etiquette towards his superiors. For example, if you are drinking an alcoholic drink in the presence of your superior, you should drink when turning away from him. You should kneel when sitting in front of your superior. It is best to begin eating only after your superior has picked up his eating utensils.

회의에 갑니다.

가자.

This respectful treatment for superiors is very evident in the Korean language. Korean has a highly developed system of honorific speech. Depending on who you are speaking to, you may use honorific sentence endings such as 합니다 and 갑니다, or, you may use *banmal* (반말) such as 하자 and 가자 (often called 'plain speech', banmal can be used as either as casual or derogatory speech). When about a superior, you will use special words such as ~님, 계십니다, 생신 and others.

Proper behavior and speech forms towards elders, superiors in the workplace, and people who have been part of an organization (company, etc.) longer than you is very important if you want to enjoy successful inter-personal relations while living in Korea.

직원이 다섯 명 있습니다.

Dialog

1

김진수 **직원¹이 몇 명² 있습니까?**
How many employees are there?

티 툰 **다섯 명 있습니다.**
There are five employees.

김진수 **컴퓨터가 몇 대³ 있습니까?**
How many computers are there?

티 툰 **세 대⁴ 있습니다.**
There are three computers.

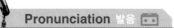 **Pronunciation 발음**

- When by itself, 몇 is pronounced as [멷]. When 몇 is followed by a ㅂ, ㄷ, or ㄱ, each is pronounced as ㅃ, ㄸ, or ㄲ respectively. When 몇 is followed by ㅁ or ㄴ, it is pronounced as [면] instead of [멷].

몇 번 [멷 뻔] 몇 대 [멷 때] 몇 명 [면 명]

2

김진수   사무실 전화번호[5]가 몇 번[6]입니까?
        What is the office phone number?

티 툰   321-0679입니다.
        The phone number is 321-0679.

김진수   티툰 씨 핸드폰[7] 번호는 몇 번입니까?
        What is your mobile phone number?

티 툰   010-214-9857입니다.
        My mobile phone number is 010-214-9857.

New Words & Phrases 새 단어와 어구 📼

1	직원	employee
2	몇 명	How many people
3	몇 대	How many (computers, automobiles, etc)
4	세 대	three computers
5	전화번호	telephone number
6	몇 번	number (as in "what is the number?")
7	핸드폰	mobile phone

Vocabulary 활용어휘

1 Position/Rank and Employees 직급과 직원

사장님	(company) president
부장님	head of a division(a department ending in '부')
과장님	department/section head
직원	employee
사원	(company) employee

2 Number (1) 수 1

일	1	이	2	삼	3	사	4	오	5	육	6
칠	7	팔	8	구	9	십	10	십일	11	십이	12

There are two ways to read numbers in Korean. One is native Korean numbers 하나, 둘, 셋, 넷… the other is with Chinese numbers 일, 이, 삼, 사… When counting how many of something there are, native Korean numbers are used. When talking about years, months and numbers, Chinese numbers are used.

3 Number (2) 수 2

하나	1	둘	2	셋	3	넷	4	다섯	5	여섯	6
일곱	7	여덟	8	아홉	9	열	10	열하나	11	열둘	12

4 Units 단위

people – 명

desks, umbrellas, chairs, hats, clocks – 개

stamps, sheets of paper – 장

animals (dogs, cats, birds) – 마리

bottles (beer, juice) – 병

computers, automobiles – 대

Grammar & Expressions 문법과 표현

① 전화번호가 몇 번입니까?

This expression is used when asking about a phone number. In other cases when you are asking about a cardinal number as well, ask 몇 번입니까?

> A 전화번호가 몇 번입니까?
> What is the phone number?

> B 721-9236(칠이일에 구이삼육)입니다.
> 721-9236.

> A 전화번호가 몇 번입니까?
> What is your phone number?

> B 032-210-6587(공삼이에 이일공에 육오팔칠)입니다.
> 032-210-6587.

> A 핸드폰 번호가 몇 번입니까?
> What is your mobile phone number?

> B 010-332-6790(공일공에 삼삼이에 육칠구공)입니다.
> 010-332-6790.

When talking about telephone numbers, 에 is used to express '-'. The number zero is said either 공 or 영, but in referring to telephone numbers zero is usually referred to as 공.

② 한, 두, 세, 네 + 명(개/마리)

Korean uses different identifiers for units of the number of what is being described. Also, when used with those identifying words, the numbers 하나, 둘, 셋, 넷 change to 한, 두, 세, 네.

사람 한 명   차 한 대   개 두 마리

우산 세 개   맥주 네 병   우표 다섯 장

③ 몇 명(개/마리) 있습니까?

This sentence form can be used to ask about how many people or how many of something there are. When answering use 'subject (사람이) + amount (한 명) + 있습니다'.

A 직원이 몇 명 있습니까?   How many employees are there?

B (직원이) 두 명 있습니다. There are two.

A 우산이 몇 개 있습니까?   How many umbrellas are there (do you have)?

B (우산이) 세 개 있습니다. There are three.

1 수 (1)

Write the following telephone numbers in Hangeul.

| Ex. | 342-4535 | → | 삼사이에 사오삼오 |

① 425-7760 → _____

② 912-2654 → _____

③ 02-3272-9150 → _____

④ 017-253-8454 → _____

⑤ 010-338-4790 → _____

2 수 (2)

Write, in Hangeul, how many objects there are in each picture.

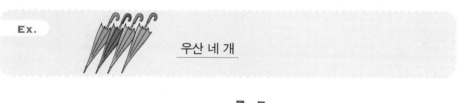

Ex. 우산 네 개

①

②

③

_____ _____ _____

④

⑤

⑥

_____ _____ _____

98

3 몇 + 명/마리/개/장/대

Put the words in the correct order to complete the sentences.

> **Ex.** 다섯 개, 사과가, 있습니다
> ⋯▶ <u>사과가 다섯 개 있습니다.</u>

❶ 있습니까, 책상이, 몇 개

⋯▶ _____

❷ 직원이, 있습니다. 열 명

⋯▶ _____

❸ 컴퓨터가, 있습니까, 몇 대

⋯▶ _____

❹ 새가, 몇 마리, 있습니까

⋯▶ _____

❺ 있습니다, 우표가, 한 장

⋯▶ _____

Tasks

❋ Speaking 말하기 ❋

Look at the following and say how many abjects there are. ▭

Ex.

사진이 다섯 장 있습니다.
사과가 한 개 있습니다.
주스가 세 병 있습니다.
고양이가 한 마리 있습니다.

❶

사무실에 직원이 두 명 있습니다.
사무실에 컴퓨터가 _____
사무실에 복사기가 _____
사무실에 시계가 _____

❷

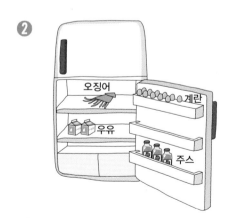

냉장고에 오징어가 한 마리 있습니다.
냉장고에 우유가 _____
냉장고에 계란이 _____
냉장고에 주스가 _____

▶ With a classmate, ask questions about how many objects there are.

> **Ex.** A 사진이 몇 장 있습니까?
>
> B 다섯 장 있습니다.

▶ Discuss what many objects there are in your vicinity, using the phrases 몇 개 and 몇 장.

· ✺ **Listening** 듣기 ✺ ·

Wang Ping is asking Suji about the office where she works. Listen to the dialogue, then find the correct answer for each sentence. 📼

❶ 사무실에 직원이 (7, 8, 10)명 있습니다.

❷ 여자가 (3, 4, 5)명 있습니다.

❸ 중국 사람이 (0, 1, 2)명 있습니다.

❹ 컴퓨터가 (7, 9, 10)대 있습니다.

1 Listen carefully then fill in the blanks using Arabic numbers.

① 빵____개　　　② 고양이____마리　　　③ 우표____장

④ 차____대　　　⑤ 전화번호_____　　　⑥ 핸드폰 번호_____

2 Connect the objects with the correct unit terms.

① 병　　② 마리　　③ 대　　④ 개　　⑤ 명

 a.　　 b.　　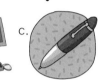 c.　　 d.　　 e.

3 Choose the appropriate answer.

①　A　시계가 몇 개 있습니까?

　　B　_____

　　a. 책상 위에 있습니다.
　　b. 네, 있습니다.
　　c. 두 개 있습니다.

②　A　전화번호가 몇 번입니까?

　　B　_____

　　a. 전화번호가 있습니다.
　　b. 세 개 있습니다.
　　c. 343-5940입니다.

Reading Korean Numbers

There are two ways of reading numbers in Korean. One is using words based in Chinese characters, such as 일, 이, 삼, and 사, and the other is using words not based in Chinese characters, 하나, 둘, 셋, and 넷. Which series of names for numbers is used depends on when and what is referred to.

A group of numbers, for example telephone numbers, room numbers, automobile license numbers, and passport numbers are read as 일, 이, 삼, and 사 and so on.

삼사오에 공구팔칠

오삼삼공

제이알 이오칠공구

However, when talking about amount, 하나, 둘, 셋 and 넷 are used. The number of people is also counted using these numbers. Age is also counted this way. (한 살, 두 살)

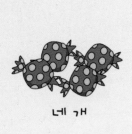

네 개

다섯 살

What kind of numbers are used to talk about time and date? Dates use the numbers derived from Chinese. But when talking about time, the hour (시) is referred to using native Korean numbers, whereas the minutes (분) are referred to using Chinese-derived numbers.

칠월 십이 일

세시 이십분

6시에 퇴근합니다.

1 Reading the time

2 Formal present tense form ㅂ니다/
습니다

3 Talking about your daily routine

Dialog

1 **7시¹에 일어납니다².**
I wake up at 7 o'clock.

7시 30분³에 아침식사를 합니다⁴.
I eat breakfast at 7:30.

8시에 출근합니다⁵.
I arrive at work at 8 o'clock.

12시에 점심식사를 합니다⁶.
I eat lunch at noon.

3시에 회의를 합니다⁷.
I have a meeting at 3 o'clock.

6시에 퇴근합니다⁸.
I leave work at 6 o'clock.

Pronunciation 발음

- Pronounce the following words.

출근   퇴근   회의

2

이미영　**몇 시⁹에 출근합니까?**
What time do you arrive at work?

디 나　**8시에 출근합니다.**
I arrive at work at 8 o'clock.

이미영　**몇 시에 점심식사를 합니까?**
What time do you have lunch?

디 나　**12시에 합니다.**
I eat lunch at noon.

이미영　**오후¹⁰에 회의를 합니까?**
Do you have a meeting in the afternoon?

디 나　**네, 3시에 회의를 합니다.**
Yes, I have a meeting at 3 o'clock.

New Words & Phrases 새 단어와 어구 📼

1 7시	7 o'clock	2 일어납니다　(person) wakes/gets up
3 30분	30 minutes	4 아침식사를 합니다　to eat breakfast
5 출근합니다	(person) arrives at work	6 점심식사를 합니다　to eat lunch
7 회의를 합니다	to hold a meeting	8 퇴근합니다　(person) leaves work
9 몇 시	(at) what time/hour	10 오후　afternoon

Vocabulary 활용어휘

① Daily Schedule 하루 일과

자다	to sleep	일어나다	to get up (out of bed)
회사에 가다	to go to (your) company	출근하다	to arrive at work
일하다	to work	근무하다	to be present at work
밥을 먹다	to eat (literally 'to eat rice')	식사를 하다	to have a meal
회의를 하다	to hold a meeting	책을 읽다	to read a book
친구를 만나다	to meet a friend	텔레비전을 보다	to watch television

② Time-Related Expressions 시간 표현

아침	morning	저녁	evening
오전	a.m.	오후	p.m.
아침(식사)	breakfast	점심(식사)	lunch
저녁(식사)	dinner		

The word 식사 (meal) is sometimes left off of the term 아침식사 (morning meal, breakfast), so instead of saying 아침식사를 하다 you can also say 아침을 먹다. You may also say 점심을 먹다 for 'to eat lunch' or 저녁을 먹다 for 'to eat dinner'.

Grammar & Expressions 문법과 표현

① 시간

한 시

다섯 시

여덟 시

한 시 십오 분

세 시 삼십 분

여덟 시 오십오 분

A	몇 시입니까?	What time is it?
B	2시 15분입니다.	It is 2:15.

② 시간 + ~에

에 is a particle used to identify time. It is used in the structure 'time + 에' and is similar to 'at' in English.

12시에 갑니다.	I go at noon.
오전에 회의가 있습니다.	There is a meeting in the morning.
밤에 텔레비전을 봅니다.	I watch television at night.

* 장소 (place) + 에

The sentence particle 에 performs many roles in the Korean sentence. In the phrase 회사에 가다, it has a different meaning in English as it does when referring to time. When used in a phrase that has the structure 'place + 에' it is used differently than in sentences that are constructed as 'time + 에' when has a meaning similar to 'to' in English.

회사에 갑니다.　집에 갑니다.　한국에 옵니다.

③ ~ㅂ니다/습니다

Korean verbs and adjectives are found in the dictionary in their basic forms. They are conjugated to express tense, honorifics, passivity, and causativity, among others things.

A basic form is composed of a word stem and 다. The stem never changes when the verb is conjugated. When conjugating, the 다 is left off and a different form is attached to the end of the stem.

습니다 is a formal honorific expression in the present tense. It is used to 'honor' the person you are talking to. Remove the 다 from the verb's basic form and attach either ㅂ니다 or 습니다. If the stem ends in a vowel, use ㅂ니다, and if it ends in a consonant use 습니다.

모음 + ㅂ니다 : 가(다) + ㅂ니다 → 갑니다

자음 + 습니다 : 먹(다) + 습니다 → 먹습니다

자다	→	잡니다	입다	→	입습니다
일어나다	→	일어납니다	읽다	→	읽습니다
보다	→	봅니다	앉다	→	앉습니다
하다	→	합니다			

④ ~을/를

을/를 is a particle used to designate the object of the sentence. If the word that is the object ends with a vowel, use 를. If the object ends with a consonant use 을.

햄버거를 먹습니다.	I am eating a hamburger.
텔레비전을 봅니다.	I watch television.
친구를 만납니다.	I meet a friend.

1 시간

Tell what time it is, according to the example.

| Ex. | 3시 30분 | → | 세 시 삼십 분 |

❶ 1시 15분 → _____

❷ 6시 25분 → _____

❸ 11시 10분 → _____

❹ 8시 40분 → _____

❺ 10시 50분 → _____

❻ 4시 30분 → _____

2 ~을/를

Choose the proper form of the object particle.

❶ 제임스 씨가 빵(을, 를) 먹습니다.

❷ 책(을, 를) 읽습니다.

❸ 3시에 텔레비전(을, 를) 봅니다.

❹ 한국어(을, 를) 공부합니다.

3 ~에, ~ㅂ니다/습니다

Create sentences using the words and phrases available.

| Ex. | 7시, 일어나다 | → | 7시에 일어납니다. |

❶	8시, 출근하다	→	_____
❷	오후 3시, 친구를 만나다	→	_____
❸	오후 7시, 저녁식사를 하다	→	_____
❹	8시, 책을 읽다	→	_____
❺	10시, 자다	→	_____
❻	9시, 텔레비전을 보다	→	_____

Tasks 과제 활동

············· ✸ **Speaking** 말하기 ✸ ·············

Ask and answer questions about daily routines based on the chart below.

이름	출근	점심식사	퇴근	TV	자다
김진수	8시	12시	5시	8시 30분	11시
왕핑	7시 30분	12시	6시	9시	12시
디나	8시 30분	12시 30분	7시	10시	11시 40분

Ex. 김진수

A 김진수 씨, 몇 시에 출근합니까? B 8시에 출근합니다.

A 몇 시에 점심식사를 합니까? B 12시에 점심식사를 합니다.

A 몇 시에 퇴근합니까? B 5시에 퇴근합니다.

A 몇 시에 텔레비전을 봅니까? B 8시 30분에 텔레비전을 봅니다.

A 몇 시에 잡니까? B 11시에 잡니다.

❶ 왕핑

❷ 디나

▶ Use the chart above to ask yes and no questions.

Ex. A 김진수 씨, 7시에 출근합니까?

B 아니요, 8시에 출근합니다.

▶ Ask questions about the actual daily routines of other people.

······· ✷ **Reading** 읽기 ✷ ·······

Read the following, then choose the correct answer.

> 수지 씨는 오후 6시에 퇴근합니다. 퇴근 후에 친구를 만납니다
> 보통 8시에 집에 갑니다. 9시부터 텔레비전을 봅니다. 11시에 잡니다.

❶ 수지 씨는 여덟 시에 퇴근합니다. ☐ 네 ☐ 아니요

❷ 여섯 시에 집에 갑니다. ☐ 네 ☐ 아니요

❸ 아홉 시에 텔레비전을 봅니다. ☐ 네 ☐ 아니요

❹ 열두 시에 잡니다. ☐ 네 ☐ 아니요

······· ✷ **Writing** 쓰기 ✷ ·······

Complete the sentences based on the pictures.

6시에 일어납니다.

6시 30분에 운동합니다.

그리고 7시에 _____

7시 30분에 _____

8시부터 일합니다.

보통 10시에 _____

그리고 12시 30분에 _____

1 Listen carefully, then write the time in the blanks.📼

> **Ex.**   2 시 15 분

❶ ___ 시 ___ 분   ❷ ___ 시 ___ 분

❸ ___ 시 ___ 분   ❹ ___ 시 ___ 분

2 Listen carefully, then draw a ○ if the description is correct and × if incorrect. 📼

❶ 아침 7시에 일어납니다.   (   )

❷ 8시 30분에 출근합니다.   (   )

❸ 11시에 회의를 합니다.   (   )

❹ 5시에 퇴근합니다.   (   )

❺ 저녁에 책을 읽습니다.   (   )

3 Change the following sentences to either ㅂ니다 or 습니다.

❶ 책을 읽다   →   _____

❷ 근무하다   →   _____

❸ 밥을 먹다   →   _____

❹ 텔레비전을 보다   →   _____

The Five Day Workweek

Most company workers and civil servants arrive at work at 9 a.m. Lunch is usually between 12 and 1 p.m. There are small differences, but people usually leave work at 6 p.m.

Since 2000, Korea has been gradually changing to a five day workweek where people work Monday through Friday. Currently most conglomerates, universities, research centers, banks, and similar places of work have five day workweeks, and therefore do not work on Saturdays.

Universities have five day workweeks, and other schools, beginning with elementary schools, are currently in the process of adjusting to five day weeks. Most mid-sized and small companies, however, do not have five day workweeks, and employees work on Saturdays.

10

이거 얼마예요 ?

Dialog

1

주인[1]
어서 오세요.
Welcome.

수지
사과[2] 한 개에[3] 얼마예요?
How much for an apple?

주인
1,000원[4]이에요.
w1,000.

수지
배[5] 한 개에 얼마예요?
How much for a pear?

주인
1,500원이에요.
w1,500.

수지
사과 두 개하고[6] 배 한 개 주세요.
Please give me two apples and one pear.

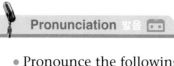

Pronunciation 발음

● Pronounce the following words.

사과　　　세 개　　　비싸요　　　싸요

2

수지   아줌마[7], 이거[8] 얼마예요?
Ajumma, how much is this?

주인   12,000원이에요. 아주 예뻐요.
It's ₩12,000. It's quite pretty.

수지   너무 비싸요. 좀[9] 깎아 주세요.
It's too expensive. Please cut a little off the price.

주인   11,000원 주세요[10].
(Then) give me ₩11,000.

수지   여기 있어요.
Here you are.

주인   감사합니다.
Thank you.

New Words & Phrases 새 단어와 어구 📼

1	주인	shop owner		2	사과	apple
3	한 개(에)	(for) one		4	원	Won
5	배	pear		6	하고	and
7	아줌마	ajumma		8	이거	this
9	좀	some, a little		10	주세요	Please give(me)

* 아줌마 is how you refer to a woman of middle age. It is frequently used to call a woman in her thirties or older in markets, stores, restaurants.

Vocabulary 활용어휘

1 Practical Supplies 생활용품

시계	clock, watch	모자	hat
구두	shoes	운동화	sports shoes
옷	clothes	치마	skirt
바지	pants	가방	bag
비누	soap	치약	toothpaste
칫솔	toothbrush	휴지	tissue paper
우유	milk	빵	bread
물	water		

2 Fruit 과일

사과	apple	배	pear
수박	watermelon	바나나	banana
딸기	strawberry	포도	grape
귤	tangerine, orange	감	persimmon

3 Numbers (3) 수 3

십	10	십오	15	십구	19
백	100	백이십	120	오백삼십	530
천	1,000	천오백	1,500	사천	4,000
만	10,000	칠만	70,000	칠만 육천	76,000
십만	100,000	백만	1,000,000	천만	10,000,000

Korea's monetary unit is the Won(원). When talking about the amounts ₩100, ₩1,000, and ₩10,000 people usually say 백 원, 천 원, and 만 원 instead of 일백 원, 일천 원, and 일만 원.

④ Indicator 지시어

| 이거 | this thing | 그거 | that thing | 저거 | that thing |

이거, 그거, and 저거 are frequently used in colloquial speech. The standard forms are 이것, 그것, and 저것 respectively. They are combinations of 이(this), 그(that), and 저(that) with 것(thing). When indicating an object, 이, 그, and 저 are used without 것 and with the object, as in the picture below.

그것, 그거, and '그+object' are used to refer to something close to the person being spoken to or something that is not present but has already been referred to in the conversation.

⑤ Adjectives 형용사

좋다	to be good	나쁘다	to be bad
크다	to be big, large	작다	to be small
싸다	to be inexpensive	비싸다	to be expensive
많다	to be many	적다	to be few
예쁘다	to be pretty	바쁘다	to be busy

Grammar & Expressions 문법과 표현

 ## ~어/아요

어/아요 is a sentence ending that is informal and in the present tense, and like ㅂ니다/습니다 is used as an honorific expression. It is used more frequently than the more formal ㅂ니다/습니다 among friends, family, and other people with whom you are close. It is particularly more frequent in colloquial speech.

There are four ways of using it. ① When the stem ends with the vowels ㅗ or ㅏ use 아요. ② If the stem ends in any other vowel use 어요. ③ For verbs and adjectives that in their basic form end with 하다, this form combines with the stem 하 to become 해요. ④ The sentence ending 입니다 can be changed to 예요 in when the last letter in the preceeding syllable is a vowel and 이에요 when the last letter in the syllable before it is a consonant.

① Stem + 아요

If the stem ends with ㅏ or ㅗ, 아요 is attached to it. 아요 can also be used with consonants, but when used with one of these vowels the 아 or 오 combine with the same vowel in the stem.

가다 → 가요 (instead of 가아요)
오다 → 와요 (instead of 오아요)
앉다 → 앉아요   살다 → 살아요

② Stem + 어요

If the last vowel in the stem is any other than ㅏ or ㅗ, use 어요. When the last vowel in the stem is the last letter in the stem, the 어 combines with that vowel.

마시다 → 마셔요 (instead of 마시어요.)
그리다 → 그려요 (instead of 그리어요.)

먹다	→	먹어요		읽다	→	읽어요
적다	→	적어요		웃다	→	웃어요

③ 해요

Verbs that in their basic form end with 하다 are conjugated as 해요.

공부하다	→	공부해요		일하다	→	일해요

④ 예요/이에요

The verb 이다 becomes 예요/이에요. If the word it is used with ends with a vowel use 예요 and if it ends with a consonant use 이에요.

(이것은) 사과이다	→	(이것은) 사과예요
(제임스는) 회사원이다	→	(제임스는) 회사원이에요

⑤ ― Irregular Conjugation

When a verb or adjective stem ends with the vowel ―, the ― is deleted and either 어요 or 아요 is attached to the stem.

예쁘다	→	예뻐요		크다	→	커요
바쁘다	→	바빠요		아프다	→	아파요

⑥ ㄷ Irregular Conjugation

Some verbs that end with ㄷ become ㄹ when followed by vowels such as ㅏ and ㅗ when used 아요 and 어요.

듣다	→	들어요 (instead of 듣어요)
묻다	→	물어요 (instead of 묻어요)

② 이거 얼마예요?

This is an expression used to ask the price of something, like "How much is this?" in English. As a complete sentence it would be 이것이 얼마예요, but in colloquial speech the particle is often omitted.

A 모자 얼마예요?   How much are the hats?

B 10,000원이에요.   They are ₩10,000.

A 이거 얼마예요?   How much is this?

B 23,000원이에요.   It is ₩23,000.

③ 깎아 주세요

This expression is used when you bargain in a market or on the street, and means "Please lower the price." Another frequently used expression for such situations is 싸게 해 주세요.

④ 여기 있어요

Said when handing over something to someone, and means something close to "Here you are!" in English.

A 배 두 개 주세요.   Please give me two pears.

B 여기 있어요.   Here you are.

A 아줌마, 3,000원 여기 있어요.   Ajumma, here's ₩3,000.

B 감사합니다.   Thank you.

Practice 연습

1 ~어/아요

Change the following sentences so that they end with either 어/아요.

> **Ex.**   오늘 친구를 만납니다.   →   오늘 친구를 <u>만나요</u>.

❶ 6시에 일어납니다.   →   6시에 _____

❷ 옷을 입습니다.   →   옷을 _____

❸ 한국어 책을 읽습니다.   →   한국어 책을 _____

❹ 수지 씨가 빵을 먹습니다.   →   수지 씨가 빵을 _____

❺ 학생이 공부합니다.   →   학생이 _____

❻ 가방이 예쁩니다.   →   가방이 _____

❼ 저는 중국 사람입니다.   →   저는 중국 사람 _____

❽ 여기가 사무실입니다.   →   여기가 사무실 _____

❾ 직원이 바쁩니다.   →   직원이 _____

❿ 방이 큽니다.   →   방이 _____

2 얼마예요?

Ask about a product's price, as in the example.

Ex.
A 시계가 얼마예요?
B <u>삼만 오천 원이에요.</u>

❶ A 치마가 얼마예요?
B _____

❷ A 컴퓨터가 얼마예요?
B _____

❸ A 책이 얼마예요?
B _____

❹ A 김밥이 얼마예요?
B _____

❺ A 운동화가 얼마예요?
B _____

Tasks 과제 활동

✹ Speaking 말하기 ✹

Based on the price lists, purchase items as in the example.

Ex.

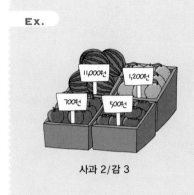

사과 2/감 3

A 사과 얼마예요?

B 700원이에요.

A 감 얼마예요?

B 500원이에요.

A 사과 두 개하고 감 세 개 주세요. 얼마예요?

B 2,900원이에요.

A 여기 있어요.

B 감사합니다.

❶

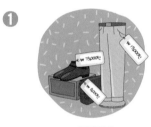

가방/바지

❷

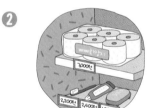

치약 2/비누 1

▶ With a classmate, use the price lists above to make purchases. Try to bargain the price down.

❄ Listening 듣기 ❄

The following is a conversation between a shop owner and a customer.
Listen carefully and choose the right answer.

1 Write the prices of the following items.

_____　　_____　　_____

2 What did the person buy, and at what price?

무엇 : _____
얼마 : _____ 원

1 Listen carefully and choose the correct number. 📼

❶ 340 430

❷ 1,500 2,500

❸ 9,700 97,000

❹ 47,500 47,000

❺ 1,290,000 129,000

2 Choose the appropriate answer for the dialogue.

❶ A _____

B 아줌마, 이 수박 얼마예요?

a. 이거 얼마예요? b. 어서 오세요. c. 여기 있어요.

❷ A _____

B 70,000원이에요.

a. 이거 얼마예요? b. 어서 오세요. c. 여기 있어요.

❸ A 이거 주세요.

B _____

a. 12,000원이에요. b. 여기 있어요. c. 좀 깎아 주세요.

❹ A 65,000원이에요.

B 너무 비싸요. _____

a. 얼마예요? b. 감사합니다. c. 좀 깎아 주세요.

Culture

Buying Things in Korea

Namdaemun market

Dongdaemun market

Korea has many department stores and discount chain stores. It also has well developed open markets, and in every city you can find traditional markets or street venders. Seoul's Namdaemun and Dongdaemun markets are the most famous, and both sell a variety of clothes and household articles.

Department stores and discount chain stores have set prices, so you can only receive discounts during sale periods. It is possible to bargain prices down in markets, small shops, and with street vendors. How much cheaper you are able to purchase something depends on your ability to bargain.

a department store

The following are commonly used expressions in dialogue relating to making a purchase. Knowing these expressions will make shopping easier.

어서 오세요.	Welcome!
뭘 찾으세요?	May I help you find something?
그냥 구경 좀 할게요.	I'm just came to look.
입어 봐도 돼요?	May I try this on?
깎아 주세요.	Please cut the price!
싸게 해 주세요.	Please sell it for less!
나중에 다시 올게요.	I'll be by again.
또 오세요.	Come again!

불고기를 먹고 싶어요.

Dialog

1

티툰 **퇴근 후¹에 같이² 저녁식사를 할까요?³**
Would you like to eat dinner together after we get off work?

왕핑 **네, 좋아요.**
Yes, that would be good.

티툰 **왕핑 씨는 뭘 좋아해요⁴?**
What do you like?

왕핑 **전 비빔밥⁵하고 불고기⁶를 좋아해요.**
I like bibimbap and bulgogi.

티툰 씨는 뭘 좋아해요?
What do you like?

티툰 **전 불고기하고 삼겹살⁷을 좋아해요.**
I like bulgogi and samgyeopsal.

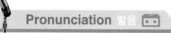

Pronunciation 발음 📼

• When ㄷ or ㅌ are followed by the vowel ㅣ they are pronounced as ㅈ and ㅊ respectively.

같이 [가치]   붙이다 [부치다]

2 티툰 　뭘 먹을까요[8]?
　　　　　What should we have?

　　왕핑　불고기를 먹고 싶어요[9].
　　　　　I want to eat bulgogi.

　　티툰　저도 불고기를 먹고 싶어요.
　　　　　I'd like to eat bulgogi, too.

　　왕핑　아줌마, 여기 불고기 2인분[10] 주세요.
　　　　　Ajumma, we'll have bulgogi for two.

　　　　　그리고[11] 콜라도 한 병 주세요.
　　　　　And please give us a bottle of cola.

New Words & Phrases 새 단어와 어구

1	퇴근 후	after getting off work	2	같이	together
3	저녁식사를 할까요?		4	좋아하다	to like
	Shall we have dinner together?				
5	비빔밥	bibimbap	6	불고기	bulgogi
7	삼겹살	samgyeopsal	8	뭘 먹을까요?	What should we have(eat)?
9	먹고 싶다	I would like to eat ____	10	2인분	for two people (servings)
11	그리고	and			

* The following are shortened in colloquial speech.

　　　　뭐를 → 뭘 　　　　　　　저는 → 전

Vocabulary 활용어휘

① food 음식

불고기	bulgogi	갈비	galbi
삼겹살	samgyeopsal	비빔밥	bibimbap
갈비탕	galbitang	냉면	naengmyeon
삼계탕	samgyetang	된장찌개	doenjang jjigyae
김밥	gimbap	만두	mandu (dumplings)
떡볶이	tteokbokki		

② tastes 맛

맛이 있다	to taste good	맛이 없다	to taste bad
달다	to be sweet	짜다	to be salty
맵다	to be (spicy) hot	시다	to be sour, tart

Grammar & Expressions 문법과 표현

1 ~(으)ㄹ까요?

This sentence ending is used when someone makes a proposal or asks if you would like to do something. It is similar to "Shall we ~?". The subject is 'we', but it is usually omitted. It is used attached to the end of a verb. If the verb stem ends in a vowel use ㄹ까요, and if it ends in a consonant use 을까요.

A	퇴근 후에 같이 영화를 볼까요?	Shall we see a movie after we get off work?
B	네, 좋아요.	Yes, that would be good.
A	한식당에 갈까요?	Should we go to a Korean restaurant?
B	네, 좋아요. 한식당에 가요.	Yes, that would be good. Let's go to a Korean restaurant.
A	뭘 먹을까요?	What should we have to eat?
B	비빔밥을 먹어요.	Let's eat bibimbap.

2 ~고 싶다

The speaker uses this form to express his desire. It is similar to the English phrase "I want to ~." It is always used with a verb. It's negative form is 고 싶지 않다.

	affirmative	negative
가다	가고 싶다	가고 싶지 않다
먹다	먹고 싶다	먹고 싶지 않다
읽다	읽고 싶다	읽고 싶지 않다
하다	하고 싶다	하고 싶지 않다

A	뭘 먹고 싶어요?		What would you like to eat?
B	전 삼겹살을 먹고 싶어요.		I'd like to have samgyeopsal.
A	어디에 가고 싶어요?		Where would you like to go?
B	제주도에 가고 싶어요.		I would like to go to Jeju Island.

③ ~은/는, ~도

은/는 is a particle that used to contrast and compare more than one thing or person from another. On the other hand, when one or more things or people are the same, use 도, which is like 'also' or 'too' in English.

티툰 씨는 남자입니다.
Titun is a man.

디나 씨는 여자입니다.
Dina is a woman.

제임스 씨는 햄버거를 좋아합니다.
James likes hamburgers.

민수 씨는 비빔밥을 좋아합니다.
Minsu likes bibimbap.

디나 씨는 여자입니다.
Dina is a woman.

미셸 씨도 여자입니다.
Michelle is also a woman.

1 ~(으)ㄹ까요?

Make suggestions using the same format as the example.

> **Ex.** 영화를 보다 → 영화를 <u>볼까요</u>?

❶ 점심을 같이 먹다 → 점심을 같이 _____

❷ 한국어를 공부하다 → 한국어를 _____

❸ 회사에 일찍 가다 → 회사에 일찍 _____

❹ 텔레비전을 보다 → 텔레비전을 _____

❺ 사장님을 만나다 → 사장님을 _____

2 ~고 싶다

Make your own sentences, following the example.

> **Ex.** 일하다 (○) → 일하고 싶어요.
> 일하다 (×) → 일하고 싶지 않아요.

❶ 한국어를 공부하다 (○) → _____

❷ 텔레비전을 보다 (○) → _____

❸ 회의를 하다 (×) → _____

❹ 친구를 만나다 (○) → _____

❺ 빵을 먹다 (×) → _____

❻ 책을 읽다 (×) → _____

3 ~고 싶어요?

Complete each dialogue.

> **Ex.**　A　뭘 하고 싶어요?
> 　　　　B　<u>영화를 보고 싶어요.</u> (영화를 보다)

❶　A　뭘 하고 싶어요?

　　B　_____ (부모님을 만나다)

❷　A　뭘 먹고 싶어요?

　　B　_____ (갈비를 먹다)

❸　A　어디에 가고 싶어요?

　　B　_____ (부산에 가다)

❹　A　뭘 사고 싶어요?

　　B　_____ (옷을 사다)

4 ~은/는, ~도, ~하고

Complete each sentence using the correct particles.

> **Ex.**　민수 씨는 한국 사람입니다. 영호 씨<u>도</u> 한국 사람입니다.

❶　저는 고기를 좋아합니다. 알렉스 씨___ 생선을 좋아합니다.

❷　아침에 빵을 먹습니다. 그리고 우유___ 마십니다.

❸　아줌마, 불고기___ 냉면 주세요.

Tasks 과제 활동

⚜ **Speaking** 말하기 ⚜

Following the example, look at the menu and order a meal.

Ex.

A 뭘 먹을까요?

B 전 된장찌개를 먹고 싶어요.

A 전 비빔밥을 먹고 싶어요.

B 아줌마, 여기 된장찌개하고 비빔밥 주세요.

된장찌개/비빔밥

① 갈비탕 / 비빔밥　　　② 불고기 / 불고기, 콜라

③ 된장찌개 / 김치찌개　　④ 삼겹살 / 삼겹살, 맥주

▶ Discuss with your classmates what you would like to eat and how much it costs.

A 뭘 먹고 싶어요?

B 비빔 냉면을 먹고 싶어요.

A 비빔 냉면은 얼마에요?

B 4,000원이에요.

❋ Listening 듣기 ❋

Listen carefully and choose the correct answer.📼

❶ 무엇을 먹고 싶습니까?

    a. 디나 씨는 _____을 먹고 싶습니다.

    b. 사라 씨는 _____를 먹고 싶습니다.

❷ 두 사람은 칼국수 2인분을 먹습니다.   ☐ 네   ☐ 아니요

❸ 두 사람은 콜라도 마십니다.   ☐ 네   ☐ 아니요

1 Connect the foods to the correct tastes.

a. 시다　　　　b. 짜다　　　　c. 달다　　　　d. 맵다

2 Choose the appropriate answer for the dialogue.

❶ A ＿＿＿＿＿＿＿＿＿＿＿

　 B 냉면을 먹고 싶어요.

　 a. 무엇을 먹어요?　　　b. 냉면을 먹어요?　　　c. 무엇을 먹고 싶어요?

❷ A ＿＿＿＿＿＿＿＿＿＿＿

　 B 네, 좋아요.

　 a. 같이 영화를 볼까요?　b. 영화를 좋아해요?　　c. 영화를 봐요?

❸ A ＿＿＿＿＿＿＿＿＿＿＿

　 B 불고기를 좋아해요.

　 a. 같이 저녁 식사를 할까요?　　　b. 영화를 좋아해요?
　 c. 뭘 좋아해요?

❹ A ＿＿＿＿＿＿＿＿＿＿＿

　 B 삼겹살 2인분 주세요.

　 a. 뭘 먹고 싶어요?　　b. 뭘 드릴까요?　　　c. 뭘 좋아해요?

Culture

Korean Food

Korean restaurants vary according to size and menu. There are formal restaurants (한정식당) that specialize in traditional full course meals, and regular restaurants (한식당) serving galbi, bulgogi, bibimbap, or galbi-tang. There are also snack shops (분식점) that serve light Korean meals such as noodles or gimbap.

Some examples of what you may find at a regular restaurant.

갈비

불고기

삼겹살

Galbi and bulgogi are made from beef with soy sauce seasonings. Samgyeopsal is a form of pork that is popular because it is inexpensive and goes will with alcoholic beverages.

비빔밥

물냉면

비빔냉면

칼국수

Naengmyeon is a type of noodles served cold. Bibim naengmyeon is a form of hot naengmyeon that is seasoned with red peppery soypaste. Mul naengmyeon is served with cold meet stock in it, and is especially popular in summer. Kalguksu, on the other hand, is a type of noodles served as a hot soup.

Jjigae is similar to soup, but it is a characteristic Korean food for having lots of solid ingredients in it. Typical forms of jjigae are doenjang jjigae, gimchi jjigae, and sundubu jjigae.

12

지난 주말에 노래방에 갔어요.

1 Words for weekday, weekend activities

2 The negative form 안 + verb

3 Past tense 었/았습니다, 었/았어요

4 Talking about weekend activities

Dialog

1

김민수   왕핑 씨, 토요일[1]에 근무해요?
Wang Ping, do you work on Saturday(s)?

왕 핑   아니요, 토요일에 근무 안 해요[2].
No. I do not work on Saturday(s).

김민수   그러면[3] 주말[4]에 보통[5] 뭐 해요?
Then what do you usually do on weekends?

왕 핑   집에서[6] 쉬어요[7]. 그리고 친구를 만나요.
I relax at home. I also meet friends.

김민수   친구하고 같이[8] 술을 마셔요[9]?
Do you drink (alcoholic drinks) with your friends?

왕 핑   아니요, 술을 안 마셔요[10]. 보통 노래방에 가요[11].
No, we don't drink. We usually go to singing rooms.

Pronunciation 발음

● Pronounce the following words.

일요일 [이료일]   월요일 [워료일]   목요일 [모교일]   금요일 [그묘일]

2

수 지 **왕핑 씨, 지난 주말에 뭐 했어요?**[12]
Wang Ping, what did you do last weekend?

왕 핑 **친구하고 같이 노래방에 갔어요.**
I went to a singing room with a friend.

수 지 **노래방에서 뭐 했어요?**
What did you do at the singing room?

왕 핑 **한국 노래**[13]**를 많이**[14] **불렀어요**[15]**.**
We sang Korean songs.

아주[16] **재미있었어요**[17]**.**
It was fun.

New Words & Phrases 새 단어와 어구 🔊

1	토요일	Saturday	2	근무 안 하다	to not go to work
3	그러면	so, in that case	4	주말	weekend
5	보통	usually	6	집에서	at home
7	쉬다	to rest	8	친구하고 같이	with a friend
9	술을 마시다	to drink (alcohol)	10	술을 안 마시다	to not drink (alcohol)
11	노래방에 가다	to go to a noraebang	12	뭐 했어요?	What did you do?
13	한국 노래	Korean song(s)	14	많이	many
15	불렀다	were/was sung	16	아주	very
17	재미있었다	to have been fun, interesting			

Vocabulary 활용어휘

1 Days of the Week 요일

일요일	Sunday	월요일	Monday
화요일	Tuesday	수요일	Wednesday
목요일	Thursday	금요일	Friday
토요일	Saturday		

2 Places 장소

노래방	noraebang, singing rooms	극장/영화관	theater/movie theater
찜질방	jjimjilbang, hot pack rooms	놀이공원	park (with playground)
서점	bookstore	공원	park
술집	drinking establishment	시장	market

3 Weekend Activities 주말 활동

영화를 보다	to see a movie
등산을 가다	to go hiking, mountain climbing
노래방에 가다	to go to a noraebang
찜질방에 가다	to go to a jjimjilbang
놀이공원에 가다	to go to a playground
산책하다	to go for a walk
운동하다	to exercise
쉬다	to rest
쇼핑하다	to shop
청소하다	to clean (house)
세탁하다	to wash, do laundry
설거지하다	to wash dishes

Grammar & Expressions 문법과 표현

1 안 + verb

안 is used before a verb or adjective to make to negate it. In front of verbs that are combinations of nouns and verbs such as in 'noun + 하다' such as 공부하다, 운동하다, and 노래하다, 안 comes between the noun and 하다, becoming 'noun + 안 + 하다'.

가다	→	안 가다	자다	→	안 자다
먹다	→	안 먹다	공부하다	→	공부 안 하다
운동하다	→	운동 안 하다			

* Verbs such as 공부하다, 운동하다, 노래하다, and 식사하다 may be used apart and with an object marker attached to the noun that is together with 하다, and can therefore become 공부를 하다, 운동을 하다, 노래를 하다, and 식사를 하다.

A	토요일에 회사에 가요?	Do you go to your company on Saturday(s)?
B	아니요, 안 가요.	No, I don't.
A	오늘 공부해요?	Are you studying today?
B	아니요, 공부 안 해요.	No, I'm not.

2 ~에서

에서 is a particle that used to show where an action is taking place. It is used in the form 'place + 에서 + verb', it is similar to 'at' in English, but limited to where an action is happening.

사무실에서 일합니다.	I work at the office.
영화관에서 영화를 봅니다.	I watch a movie in a movie theater.

집에서 책을 읽습니다.   I read at home.

한국에서 삽니다.   I live in Korea.

③ ~었/았습니다, ~었/았어요

Past tense sentence endings are made by attaching 었/았습니다 or 었/았어요 to a verb or adjective stem.

① stem + 았어요

If the stem ends with ㅏ or ㅗ, 았어요 is attached to it. 았어요 can also be used with consonants, but when used with one of these vowels the 아 or 오 combine with the same vowel in the stem.

가다	→	갔어요	앉다	→	앉았어요
오다	→	왔어요	닫다	→	닫았어요
일어나다	→	일어났어요	살다	→	살았어요

② stem + 었어요

If the last vowel in the stem is any other than ㅏ or ㅗ, use 었어요. When the last vowel in the stem is the last letter in the stem, the 어 combines with that vowel.

마시다	→	마셨어요 (instead of 마시었어요)
그리다	→	그렸어요 (instead of 그리었어요)
먹다	→	먹었어요
읽다	→	읽었어요

③ 했어요

Verbs that in their basic form end with 하다 are conjugated as 했어요 to be past tense.

공부하다	→	공부했어요	일하다	→	일했어요
식사하다	→	식사했어요	산책해요	→	산책했어요

④ 이었어요/였어요

The verb 이다 becomes 이었어요/였어요. If the word it is used with ends with a consonant use 이었어요 and if it ends with a vowel use 였어요.

회사원이다	→	회사원이었어요	학생이다	→	학생이었어요
친구이다	→	친구였어요			

⑤ ― Irregular Conjugation

When a verb or adjective stem ends with the vowel ―, the ― is deleted and either 았어요 or 었어요 are attached to the stem.

예쁘다	→	예뻤어요	크다	→	컸어요
바쁘다	→	바빴어요	아프다	→	아팠어요

⑥ ㄷ Irregular Conjugation

Some verbs that end with ㄷ become ㄹ when followed by vowels such as ㅏ and ㅗ when used with 았어요 and 었어요.

듣다	→	들었어요 (instead of 듣었어요)
묻다	→	물었어요 (instead of 묻었어요)

⑦ ㅂ Irregular Conjugation

Some verb or acjective stems that end with ㅂ have the ㅂ changed for ㅗ or ㅜ when followed by those vowels. The alterd stem is then followed by either 었어요, or 았어요.

춥다	→	추웠어요	아름답다	→	아름다웠어요
곱다	→	고왔어요	돕다	→	도왔어요

* Currently, ㅂ usually changes to ㅜ. So instead of memorizing the principle of when it is changed for ㅗ and when it is changed for an ㅗ, it might be better to remember exceptions such as 곱다 and 돕다.

⑧ 르 Irregular Conjugation

When a stem ending in 르 is followed by a vowel, the ― of the 르 is omitted and another ㄹ is added. The altered stem is then followed by 었어요 or 았어요.

부르다	→	불렀어요	자르다	→	잘랐어요

④ ~하고 같이

Similar to the English for 'together with'. 하고 같이 is used frequently in colloquial speech, and ~와/과 같이 is used often in written form.

김 과장님하고 같이 점심식사를 합니다.
I'm eating lunch with Department Director Kim.

나는 친구하고 같이 노래방에 갔습니다.
I went to a singing room with a friend.

직원들하고 같이 일합니다.
I work together with the employees.

1 안 + verb

Make the sentences below negative expressions as in the example.

> **Ex.**　　디나 씨가 회사에 갑니다.　　→　디나 씨가 회사에 <u>안</u> 갑니다.

❶ 주말에 근무합니다.　　　　　　→　주말에 _____

❷ 디나 씨는 한국어를 공부합니다.　→　디나 씨는 한국어를 _____

❸ 사장님이 사장실에 계십니다.　　→　사장님이 사장실에 _____

❹ 아침에 밥을 먹었습니다.　　　　→　아침에 밥을 _____

❺ 일요일에 운동했습니다.　　　　→　일요일에 _____

2 ~었/았습니다, ~었/았어요

Write the correct past tense form in the chart below.

basic form	past tense (formal)	past tense (informal)
가다	갔습니다	❶
사다	❷	샀어요
앉다	❸	앉았어요
먹다	먹었습니다	❹
읽다	읽었습니다	❺
공부하다	❻	공부했어요
산책하다	산책했습니다	❼
마시다	❽	마셨어요
듣다	들었습니다	❾
부르다	❿	불렀어요
춥다	추웠습니다	⓫

3 ~에서 ~었/았습니다

Create complete sentences as in the example.

| Ex. | 어제, 노래방, 노래를 부르다 | → | 어제 노래방에서 노래를 불렀습니다. |

❶ 일요일, 집, 쉬다 → _____

❷ 어제, 사무실, 일하다 → _____

❸ 지난 토요일, 극장, 영화를 보다 → _____

❹ 어제 밤, 집, 텔레비전을 보다 → _____

❺ 어제, 시장, 옷을 사다 → _____

❻ 12시, 한식당, 비빔밥을 먹다 → _____

❼ 아까, 친구 집, 공부하다 → _____

Tasks 과제 활동

❄ **Speaking** 말하기 ❄

The following is a calendar of Dina's week. Looking at the calendar, discuss what she did this week. 🔛

일	월	화	수	목	금	토
공원, 산책하다	회사, 회의를 하다	공원, 운동하다	집, 쉬다	학교, 한국어 공부	노래방, 노래를 부르다	오늘

❶ Tell using sentences like the example.

> **Ex.** 일요일에 <u>공원에서 산책했습니다.</u>   수요일에 <u>집에서 쉬었습니다.</u>

월요일에 _____   화요일에 _____

목요일에 _____   금요일에 _____

❷ Ask questions as in the example.

> **Ex.** A 일요일에 뭐 했어요?   B 공원에서 산책했어요.
>
> A 화요일에 학교에 갔어요?   B 아니요, 공원에서 운동했어요.

A 수요일에 뭐했어요?   B _____

A 금요일에 한국어를 공부했어요?   B _____

▶ Write what you did last week using the calendar below. With a classmate, ask questions of each other about the last week.

일	월	화	수	목	금	토

✴ **Reading** 읽기 ✴

Read the following sentences then choose the correct answers.

> 어제는 일요일이었습니다.
>
> 아침에 나는 티툰 씨와 같이 한강공원에 갔습니다.
>
> 공원에 사람이 많았습니다.
>
> 우리는 산책했습니다. 그리고 운동했습니다.
>
> 저녁에 우리는 영화관에 갔습니다.
>
> 영화관에서 홍콩 영화를 봤습니다.
>
> 아주 재미있었습니다.

❶ 어제 아침에 두 사람은 무엇을 안 했습니까?

a.  b. c.

❷ 두 사람은 저녁에 어디에 갔습니까?

a.   b.   c.

❸ 오늘은 _____입니다.

a. 토요일 b. 일요일 c. 월요일

1 Write in the missing days of the week.

월요일 - (   ) - 수요일 - 목요일 - (   ) - 토요일 - (   )

2 Write the appropriate place.

| Ex. | 술을 마시다 | → | 술집 |

❶ 노래를 부르다 → _____

❷ 영화를 보다 → _____

❸ 근무하다 → _____

❹ 산책하다 → _____

❺ 책을 사다 → _____

3 Change the following sentences to the past tense.

❶ 밥을 먹습니다. → _____

❷ 술을 마십니다. → _____

❸ 친구하고 같이 산책합니다. → _____

❹ 공원에서 운동합니다. → _____

❺ 약속이 있습니다. → _____

Noraebang, Jjimjilbang, Manhwabang

In Korea there are a lot of places with the word 방(room) at the end, such as noraebangs (singing rooms), jjimjilbangs (hot pack rooms), PC bangs (computer rooms), manhwabang (cartoon rooms) and others. These are cultural places where Koreans spend time releasing stress and gather together.

The culture of 'bangs' began in the early 1990's. Among them noraebangs developed the fastest and are the most popular. They enjoy explosive popularity because Koreans love to sing and noraebangs are places where they can easily gather to sing in groups. It is commonplace to go to a noraebang after a company dinner or after various gatherings.

PC bangs, manhwabangs, and video bangs are frequented mostly by youth and university students. Jjimjilbangs began as places mainly for women in their 40's and 50's, but have since become popular places for all ages and types of people. You don't just sweat in jjimjilbang; they have grown in complexity and you can now enjoy diverse forms of entertainment such as video arcades, noraebangs, lounges, health equipment, and other facilities within jjimjilbangs.

13

가족이 몇 명입니까?

Dialog

1

김민수   **가족이 몇 명입니까?**
How many people are there in your family?

왕 핑   **우리 가족[1]은 모두[2] 다섯 명입니다.**
Our family has five members in all.

아버지[3], 어머니[4], 누나[5], 형[6], 저입니다.
Father, mother, elder sister, elder brother, and I.

김민수   **부모님[7]이 어디에 계십니까?**
Where are your parents?

왕 핑   **지금[8] 중국에 계십니다.**
They are in China right now.

아버지는 회사에 다니십니다.[9]
Father works at a company.

🎙 Pronunciation 발음 📼

- ㅂ, ㄷ, ㅅ, and ㅊ are pronounced strong when followed by ㅅ.

몇 살 [면 쌀]   **다섯 살** [다선 쌀]   **일곱 살** [일곱 쌀]

김민수   누나는 몇 살[10]입니까?
How old is your elder sister?

왕 핑   31살[11]입니다. 결혼했습니다[12].
She is 31 years old. She is married.

김민수   왕핑 씨는 한국에 왜[13] 왔습니까?
Why did you come to Korea, Wang Ping?

왕 핑   일하러 왔습니다[14].
I came to work.

New Words & Phrases 새 단어와 어구

1	우리 가족	our family	2	모두	all, everyone
3	아버지	father	4	어머니	mother
5	누나	elder sister (of a man)	6	형	elder brother (of a man)
7	부모님	parents	8	지금	now
9	에 다니다	is attending, commutes to	10	몇 살	what age
11	31살	31 years old	12	결혼하다	to marry
13	왜	why?	14	일하러 오다	to come for work

Vocabulary 활용어휘

① Family 가족

할아버지	grandfather	할머니	grandmother
아버지	father	어머니	mother
형	elder brother (of a man)	누나	elder sister (of a man)
오빠	elder brother (of a woman)	언니	elder sister (of a woman)
남동생	younger brother	여동생	younger sister

② Numbers (4) 수 4

열	10	스물	20
서른	30	마흔	40
쉰	50	예순	60
일흔	70	여든	80
아흔	90	백	100

Grammar & Expressions 문법과 표현

① **몇 살입니까?**

Used to ask someone's age, it is similar to "How old are you?" or "How old is he/she?" It is considered rude to ask an elder or superior's age, but if you ask of his age to a third person you use the expression 연세가 어떻게 되셨습니까?

When talking about age, the native Korean numbers 하나, 둘, 셋, 열, 스물, and so on are used. The word 살 is used after the number.

A	몇 살입니까?	How old are you?
B	28살(스물여덟 살)입니다.	I am 28 years old.
A	몇 살입니까?	How old are you?
B	35살(서른다섯 살)입니다.	I am 35 years old.
A	아버님 연세가 어떻게 되셨습니까?	How old is your father?
B	50(쉰) 되셨습니다.	He is 50.

② **~(으)시 ~**

When an elder or superior is the subject of the sentence, the verb that is used with the subject has 시 inserted at the stem of the verb. If the stem ends in a vowel use 시 and if a consonant use 으시.

vowel + 시   :   가다 → 가시다

consonant + 으시   :   읽다 → 읽으시다

Basic Form	Basic Form + 시	Present Tense	Past Tense
보다	보시다	보십니다	보셨습니다
만나다	만나시다	만나십니다	만나셨습니다
입다	입으시다	입으십니다	입으셨습니다
읽다	읽으시다	읽으십니다	읽으셨습니다
산책하다	산책하시다	산책하십니다	산책하셨습니다
* 듣다	들으시다	들으십니다	들으셨습니다
** 만들다	만드시다	만드십니다	만드셨습니다
*** 아름답다	아름다우시다	아름다우십니다	아름다우셨습니다

   * ㄷ Irregular Conjugation
  ** ㄹ Irregular Conjugation
*** ㅂ Irregular Conjugation

In some cases (seen below) the verb is not made into honorific form by using 시, and special verbs are used instead.

Basic Form	Honorific Form	
먹다	드시다	드십니다
자다	주무시다	주무십니다
있다	계시다	계십니다
죽다	돌아가시다	돌아가십니다(돌아가셨습니다)

③ ~(으)러 가다/오다

This structure is used when talking about the purpose of the actions described by the verbs 가다 and 오다. It can only be used with the verbs 가다 and 오다 or based on them such as 올라가다, 내려가다, and so on. When the stem of the verb that describes the aim of the action ends in either a vowel or the consonant ㄹ use 러 가다/오다, and use the form 으러 가다/오다 when the word ends in any other consonant.

| 모음 + 러 가다 | : | 만나러 가다 |
| 자음 + 으러 가다 | : | 먹으러 가다 |

A 회사 근처에 왜 가요?
Why are you going close to where the company is?

B 김 과장님을 만나러 가요.
I'm going to meet Director Kim.

A 한국에 왜 왔어요?
Why did you come to Korea?

B 일하러 왔어요.
I came to work.

1 몇 살입니까?

Talk about age, referring to the example.

> **Ex.**   A   몇 살이에요?
> B   <u>스물두 살이에요.</u> (22)

❶ A   몇 살이에요?
B   _____ (19)

❷ A   몇 살이에요?
B   _____ (24)

❸ A   몇 살이에요?
B   _____ (33)

❹ A   몇 살이에요?
B   _____ (25)

❺ A   몇 살이에요?
B   _____ (40)

2 ~(으)시 ~

Complete the following sentences using honorific forms, referring to the example.

> **Ex.**   아버지는 회사에 <u>다니십니다.</u> (다닙니다)

❶ 아버지는 중국에 _____. (있습니다)

❷ 어머니는 과일을 _____. (좋아합니다)

❸ 할아버지는 아침에 일찍 _____. (일어납니다)

❹ 할머니는 _____. (산책합니다)

❺ 사장님은 신문을 _____. (읽습니다)

❻ 선생님은 빵을 _____. (먹습니다)

3 ～(으)러 가다/오다

Complete the sentences by choosing the appropriate verb.

먹다	운동하다	만나다	일하다	사다

❶ A 카페에 왜 가요?

   B 수지 씨를 _____ 가요.

❷ A 시장에 왜 갔어요?

   B 구두를 _____ 갔어요.

❸ A 공원에 왜 갔어요?

   B _____ 갔어요.

❹ A 식당에 왜 가요?

   B 점심을 _____ 가요.

❺ A 한국에 왜 왔어요?

   B _____ 왔어요.

Tasks 과제 활동

Speaking 말하기 ❋

Talk about family, using the words provided.

Ex.

나(22)   어머니   남동생(18)
아버지

우리 가족은 모두 네 명입니다.
아버지, 어머니, 남동생, 저입니다.
부모님은 지금 필리핀에 계십니다.
남동생은 18살입니다.
저는 22살입니다.
저는 한국에 일하러 왔습니다.

❶

남동생(20)   나(25)
아버지 어머니
오빠(29)

우리 가족은 모두 _____ .
_____ 입니다.
부모님은 지금 중국에 계십니다.
오빠는 _____ 입니다.
남동생은 _____ 입니다.
저는 _____ 입니다.
저는 한국에 일하러 왔습니다.

❷

나(28)   아버지   어머니   여동생(24)
형(30)

우리 가족은 모두 _____ .
_____ 입니다.
부모님은 지금 미국에 계십니다.
형은 _____ .
여동생은 _____ .
저는 _____ .
저는 한국에 일하러 왔습니다.

✴ **Listening** 듣기 ✴

The following is dialogue between two people about a family. Listen and then write your answer. 📼

❶ 아래에서 디나 씨의 가족을 고르세요.

    a. 아버지, 어머니, 언니 2명, 디나 씨

    b. 아버지, 어머니, 언니, 디나 씨, 여동생

    c. 아버지, 어머니, 언니, 디나 씨, 남동생

❷ 디나 씨 언니는 (결혼했습니다, 결혼 안 했습니다).

❸ 디나 씨 동생은 _____살입니다.

❹ 디나 씨 동생은 (학생, 회사원)입니다.

Quiz

1 Look at the pictures and write the appropriate word.

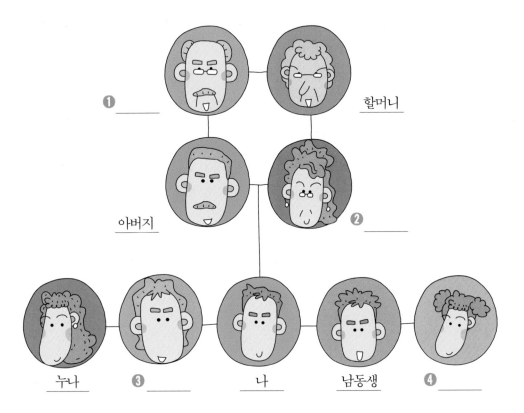

① _____   할머니

아버지   ② _____

누나   ③ _____   나   남동생   ④ _____

2 Read the following ages out loud.

❶ 18살

❷ 21살

❸ 28살

❹ 37살

❺ 42살

❻ 53살

3 Change the following verbs to honorific form.

Basic Form	Present Tense	Past Tense
사다	사십니다	❶
보다	❷	보셨습니다
앉다	❸	앉으셨습니다
먹다	드십니다	❹
자다	❺	주무셨습니다
운동하다	운동하십니다	❻

Talking about Family and the Use of Titles

When talking about their families, Korea's say 우리 가족 or 저희 가족 (our family) instead of saying 내 가족 (my family). 저희 is a humble form of 우리, so is used to lower you and your family when speaking to someone you would use honorific forms with. When introducing individual members of your family you should still use 저희, as in 저희 언니입니다 or 저희 형입니다. When speaking to a friend or close co-worker you can say 우리 가족, using 우리 instead of 저희.

When calling out to older members of the same family, Koreans use the term for the person's position within the family instead of his or her name, words such as 아버지 (father), 형 (elder brother), and 누나 (elder sister). When calling a younger member of the family, the person's name is used, as in 미나야 or 수지야.

Koreans often use the family terms 언니, 형, 누나, 동생, etc in reference to people whom they are close to, even if they are not really family. They do so as an expression of how they consider the person to be as close as family. You will often hear words for family members at school, at your company, or in stores.

14

설악산에 갈 거예요.

Dialog

1

수 지   휴가¹가 언제²예요?
When is your vacation?

왕 핑   7월³ 15일⁴부터 19일까지⁵예요.
From July 15th to the 19th.

수지 씨는 휴가가 언제예요?
When is your vacation?

수 지   7월 25일부터 31일까지예요.
From July 25th to the 31st.

일주일⁶ 동안⁷이에요.
Vacation is for a week.

 **Pronunciation 발음**

● Pronounce the following words.

15일 [시보일]　　25일 [이시보일]　　30일 [삼시빌]　　31일 [삼시비릴]

2

수 지　**휴가에 뭐 할 거예요?**
What will you do during your vacation?

왕 핑　**친구들하고 같이 설악산[8]에 갈 거예요[9].**
I'm going to Mount Seorak with friends.

수 지　**설악산에 얼마 동안[10] 있을 거예요?**
How long will you be at Mount Seorak?

왕 핑　**3박 4일[11] 동안 있을 거예요.**
Four days and three nights.

수 지　**설악산에 어떻게 갈 거예요?[12]**
How will you go to Mount Seorak?

왕 핑　**고속버스로[13] 갈 거예요.**
We will go by express bus.

New Words & Phrases 새 단어와 어구 📼

1	휴가	vacation	2 언제	when
3	7월	July	4 15일	the 15th
5	까지	until, as far as	6 일주일	one week
7	동안	period, time between	8 설악산	Mount Seorak
9	갈 거예요	I will go.	10 얼마 동안	how long
11	3박 4일	three days and four nights	12 어떻게 갈 거예요?	How will you go?
13	고속버스로	by express bus		

Vocabulary 활용어휘

① Means of Transportation 교통수단

비행기	airplane	배	ship, boat
기차	train	버스	bus
고속버스	express bus	지하철	subway
택시	taxi	차(자가용)	automobile

② Dates 날짜

1월	January	2월	February
3월	March	4월	April
5월	May	6월〔유월〕	June
7월	July	8월	August
9월	September	10월〔시월〕	October
11월	November	12월	December

1일	the 1st	10일	the 10th
13일	the 13th	15일	the 15th
28일	the 28th	30일	the 30th
31일	the 31st		

Grammar & Expressions 문법과 표현

① ~(으)로

Used to indicate the means by which something is done, and is similar in meaning to 'by' in English. When a word ends in either a vowel or the consonant ㄹ use 로, and use the form 으로 when the word ends in any other consonant.

버스로	by bus	비행기로	by plane
택시로	by taxi	지하철로	by subway
자가용으로	by automobile		

A 한국에 어떻게 왔어요?   How did you get to Korea?

B 비행기로 왔어요.   I came by plane.

A 학교에 어떻게 와요?   How do you come to school?

B 걸어서 와요.   I come by walking.

* When you use walk or run, use the expressions 걸어서 (by walking) or 뛰어서 (by running).

② ~부터 ~까지

Used to indicate the time something begins and ends, they are similar in meaning to 'from~ until~' in English.

9시부터 오후 6시까지 일합니다.	I work from 9 o'clock until 6 p.m.
12시부터 12시 40분까지 식사했습니다.	I ate from 12 o'clock until 12:40.
월요일부터 토요일까지 출근합니다.	I go to work from Monday to Saturday.
집에서(부터) 회사까지	from home to work
서울에서(부터) 뉴욕까지	from Seoul and as far as New York

* When talking about a place, use 에서(부터) ~까지.

③ ~(으)ㄹ 겁니다, ~(으)ㄹ 거예요

(으)ㄹ 겁니다, (으)ㄹ 거예요 is attached to a verb stem to indicate the future tense. Use ㄹ 겁니다 when the stem ends in a vowel and 을 겁니다 when the stem ends in with a consonant.

vowel + ㄹ 겁니다　　：갈 겁니다, 할 겁니다
consonant + 을 겁니다 : 읽을 겁니다, 먹을 겁니다

Basic Form	Future Tense (Formal)	Future Tense (Informal)
만나다	만날 겁니다	만날 거예요
입다	입을 겁니다	입을 거예요
수영하다	수영할 겁니다	수영할 거예요
* 듣다	들을 겁니다	들을 거예요
** 만들다	만들 겁니다	만들 거예요

* When the stem ends in ㄷ and is followed by a vowel, the ㄷ becomes ㄹ.
** When the stem ends in ㄹ, it is dropped, and ㄹ 겁니다 is used to make the verb future tense.

A　내일 뭐 할 거예요?
　　What will you do tomorrow?

B　친구들과 같이 노래방에 갈 거예요.
　　I'm going to go to a singing room with friends.

A　언제 필리핀에 갈 거예요?
　　When will you go to the Philippines?

B　9월에 갈 거예요.
　　I'll go in September.

1 ~부터 ~까지

Make sentences using the words as in the example.

> **Ex.** 휴가 / 1월 20일 ~ 1월 25일 → 휴가가 1월 20일부터 1월 25일까지예요.

① 공휴일 / 10월 1일 ~ 10월 3일 → _____

② 휴가 / 화요일 ~ 목요일 → _____

③ 근무 / 월요일 ~ 금요일 → _____

2 ~(으)로

Answer the questions as in the example.

> **Ex.** 서울 → 부산 (비행기)
> A 서울에서부터 부산까지 어떻게 가요?
> B 비행기로 가요.

① 회사 → 집 (버스)
A 회사에서부터 집까지 어떻게 가요?
B _____

② 집 → 공원 (자전거)
A 집에서부터 공원까지 어떻게 가요?
B _____

③ 회사 → 학교 (걷다)
A 회사에서부터 학교까지 어떻게 가요?
B _____

3 ~(으)ㄹ 겁니다, ~(으)ㄹ 거예요

Fill in the blanks below using the future tense.

Basic Form	Future Tense	Negative ('안' + Future Tense)
여행하다	❶	여행 안 할 겁니다
노래를 부르다	노래를 부를 겁니다	❷
쇼핑하다	❸	❹
한국 음식을 먹다	❺	한국 음식을 안 먹을 겁니다
한국에서 살다	한국에서 살 겁니다	❻

Make the following sentences future tense, referring to the example.

> **Ex.** 저녁에 한국어를 공부합니다. → 저녁에 한국어를 공부할 겁니다.

❶ 일요일에 집에서 쉽니다. → _____

❷ 점심에 비빔밥을 먹습니다. → _____

❸ 내일 7시에 출근합니다. → _____

❹ 집에서 음악을 듣습니다. → _____

❺ 내년에 고향에 돌아갑니다. → _____

❻ 주말에 술을 마십니다. → _____

Tasks

❀ Speaking   말하기 ❀

Using the following schedule, talk about your plans for next month. 📼

일	월	화	수	목	금	토
14 등산	15	16	17	18	19	20 ← ———— 휴가(제주도 여행)
21 ————————→	22	23	24 부모님	25	26	27 한국 친구

A 언제 등산할 거예요?

B _____

A 휴가가 언제예요?

B _____

A 휴가에 뭐 할 거예요?

B _____

A 부모님이 언제 오실 거예요?

B _____

A 27일에 뭐 할 거예요?

B _____

▶ Write down your plans for the week in the weekly calendar below. Ask and answer questions with a classmate.

일	월	화	수	목	금	토

✳ Listening 듣기 ✳

The following is a dialogue between two coworkers. Listen, then choose the correct answer.📼

❶ 다나 씨는 목요일부터 휴가입니다.   ☐ 네   ☐ 아니요

❷ 부산에 부모님을 만나러 갈 겁니다.   ☐ 네   ☐ 아니요

❸ 부산에서 수영할 겁니다.   ☐ 네   ☐ 아니요

❹ 서울에 토요일 밤에 올 겁니다.   ☐ 네   ☐ 아니요

1 Listen, then fill in the dates below.📼

❶ ＿＿월 ＿＿일   ❷ ＿＿월 ＿＿일

❸ ＿＿월 ＿＿일   ❹ ＿＿월 ＿＿일

2 Fill in the blanks to using the words below.

(으)로	부터	에서부터	까지	동안

❶ 사라 씨는 집에 버스＿＿＿＿＿＿ 갑니다.

❷ 월요일＿＿＿＿＿ 금요일＿＿＿＿＿ 근무합니다.

❸ 서울＿＿＿＿＿ 부산까지 어떻게 갑니까?

❹ 4박 5일 ＿＿＿＿＿ 여행할 겁니다.

❺ 8시부터 몇 시＿＿＿＿＿ 일합니까?

3 Connect the appropriate questions and answers.

❶ 얼마 동안이에요?   a. 9월 3일부터 5일까지예요.

❷ 어떻게 가요?   b. 일주일 동안이에요.

❸ 언제예요?   c. 버스로 가요.

❹ 뭘 할 거예요?   d. 바다를 보러 갈 거예요.

Culture

Summer Holidays for Working People

Korea's rainy season comes in the summer. It continues for about a month, beginning around the middle of June. Once the rainy season is over, the Korean summer is hot and damp until the first half of August. Many people go on vacation between the middle of July and early August, so that they can escape the heat.

Working people have a specific number of vacation days each year, and most use their vacations in the summer. Work places always have a few days of time off planned in either July or August. This period is called 휴가철, the vacation season. Most vacations are 3 to 5 days, and most people go to the mountains or the beach to escape the heat.

During the vacation season Korea's mountains and beaches are crowded with people, while meantime in Seoul and other major cities there are fewer automobiles on the road, making transportation within city areas very easy. Aside from the regular summer holidays, some jobs may allow a person to take other days off as well.

15

김 과장님 좀 바꿔 주세요.

Dialog

1

사 라
여보세요?[1]
(on the telephone) Hello?

왕 핑
거기 서울가구지요?
(on the telephone) Is that Seoul Furniture?

사 라
네, 그런데요.[2]
Yes, why?

왕 핑
죄송하지만[3] 김 과장님 좀 바꿔 주세요.
Pardon me but please let me speak to Director Kim.

사 라
지금 자리에 안 계신데요.
He's not at his desk right now.

왕 핑
알겠습니다. 안녕히 계세요.
I see. Good bye.

Pronunciation 발음

- Pronounce the following words.

여보세요?   서울가구지요?   김 과장님이시지요?

2

왕 핑　　거기 김 과장님 계십니까?
　　　　Is Director Kim there?

김민수　　전데요⁴.
　　　　This is Director Kim.

왕 핑　　김 과장님, 안녕하세요? 저 왕핑입니다.
　　　　Hello, Director Kim. I'm Wang Ping.

김민수　　왕핑 씨, 안녕하세요?
　　　　Hello, Wang Ping.

왕 핑　　오늘 잠깐⁵ 뵙고 싶습니다⁶.
　　　　I would like to see you for a moment today.

김민수　　그러면⁷ 3시에 사무실로⁸ 오세요⁹.
　　　　Come to the office at 3 o'clock, then.

New Words & Phrases 새 단어와 어구 🔘

1	여보세요?	Hello (on the telephone)	2	그런데요	Yes, and so?
3	죄송하지만	I'm sorry but...	4	전데요	That's me.
5	잠깐	a moment	6	뵙고 싶다	to want to meet (honorific)
7	그러면	then, in that case	8	사무실로	to (an) office
9	오세요	please come			

Vocabulary 활용어휘

(1) **Telephone** 전화

전화하다	to call
전화(를) 걸다	to make a telephone call
전화(를) 받다	to answer a telephone
전화번호	telephone number
자리에 계시다	to be at his desk where he belongs

(2) **Office Work** 회사 업무

회의 준비를 하다	to prepare for a meeting
서류를 복사하다	to photocopy documents
일을 끝내다	to finish work, to finish a specific task
야근하다	to work night shift
팩스를 보내다	to send a fax
이메일을 보내다	to send an email

Grammar & Expressions 문법과 표현

 Telephone Expressions

The following expressions are frequently used while talking on the telephone.

여보세요?	Hello?
거기 한국자동차지요?	Is that Korea Motors?
그런데요.	It is, how can I help you?
전데요.	That's me.
김수진 씨 좀 바꿔 주세요.	Please let me speak to Ms. Kim Sujin.
김 과장님 좀 바꿔 주시겠습니까?	May I please speak to director Kim?
지금 자리에 안 계신데요.	He's not at his desk/workstation.
잠깐만 기다리세요.	Please wait a moment.
사라 씨, 전화 받으세요.	Ms. Sara! Please answer the phone.
전화 바꿨습니다.	The call has been transferred. (said by person called when he finally answers.)
다시 전화하겠습니다.	I'll call again/back.
안녕히 계세요.	Goodbye. ("Stay in peace.")

② ～지요?

This form is used when asking something while speaking in a tone that suggests you already know the answer. It is used at the end of a stem, and becomes 었/았지요? in the past tense and 을 거지요? in the future tense. In colloquial speech, 지요 is often pronounced rapidly to become 죠.

A	중국 사람이지요?	You're Chinese, aren't you?
B	네, 중국 사람이에요.	Yes, I'm Chinese.
A	한국무역에 다니지요?	You work for Korea Trading, right?
B	아니요, 한국가구에 다녀요.	No, I work for Korea Furniture.
A	회의 서류를 만들었지요?	Did you make the meeting documents?
B	네, 만들었어요.	Yes, I made them.

③ ～(으)세요

This imperative sentence ending is used to tell someone or ask that an action be taken. It is used only together with action verbs. If the stem ends with a vowel, use 세요. If it ends with a consonant, use 으세요.

The ㄷ of 듣다 becomes a ㄹ when it meets the vowel in the first syllable of 으세요 to form an irregular conjugation. Also, verbs like 만들다 that have stems ending in ㄹ lose the ㄹ and have 세요 attached without the ㄹ.

① vowel + 세요

가다 → 가세요   주다 → 주세요

② consonant + 으세요

읽다   →   읽으세요   앉다   →   앉으세요

* 먹다 and 으세요 is said 드세요 instead of 먹으세요.

③ Irregular forms

듣다 → 들으세요   묻다 → 물으세요
만들다 → 만드세요   살다 → 사세요

A 왕핑 씨, 아침에 일찍 출근하세요
   Wang Ping, please come to work early.

B 알겠습니다, 사장님.
   Yes, company president.

A 사라 씨, 내일 회의 준비를 하세요.
   Sara, please prepare for the meeting tomorrow.

B 알겠습니다.
   Yes, sir.

1 ～지요?

Use 지요 to make sentences like the example.

> **Ex.** 내일이 휴일이다 → 내일이 휴일이지요?

❶ 4시에 회의가 있다. → _____

❷ 사장님이 안 계시다. → _____

❸ 오늘 일이 많다. → _____

❹ 어제 7시에 퇴근했다. → _____

❺ 아침에 과장님을 만났다. → _____

2 ～(으)세요

Use (으)세요 to make sentences like the example.

> **Ex.** 회의 준비를 하다 → 회의 준비를 하세요.

❶ 서류를 복사하다. → _____

❷ 사무실에 전화하다. → _____

❸ 신문을 읽다. → _____

❹ 오늘까지 일을 끝내다. → _____

❺ 이메일을 보내다. → _____

❻ 의자에 앉다. → _____

Tasks 과제 활동

❄ Speaking 말하기 ❄

1 Make telephone calls like in the example.

> **Ex.** 한국자동차, 김수진 씨
>
> A 여보세요?
> B 거기 한국자동차지요?
> A 네, 그런데요.
> B 죄송하지만 김수진 씨 좀 바꿔 주세요.
> A 지금 자리에 안 계신데요.
> B 알겠습니다. 안녕히 계세요.

❶ 현대가구, 왕핑 씨　　　　❷ 대한무역, 박영수 씨

2 Make telephone calls like in the example below.

> **Ex.**
>
> 오늘 저녁식사 / 왕핑
> 7시 회사 앞 / 티툰
>
> 티툰 여보세요?
> 왕핑 거기 티툰씨 있어요?
> 티툰 전데요.
> 왕핑 안녕하세요? 저 왕핑이에요.
> 티툰 안녕하세요?
> 왕핑 오늘 같이 저녁식사를 하고 싶어요.
> 티툰 좋아요. 그럼, 7시에 회사 앞에서 만나요.
> 왕핑 네. 안녕히 계세요.

❶

오늘 점심식사　이영민　모하메드　12시 회사 식당

❷

주말 영화　왕핑　수지　토요일, 7시 회사 앞

✿ Listening 듣기 ✿

The following is a telephone conversation. Listen carefully then check the correct answer. 📼

① 지금 모하메드 씨는 회사에 있습니다.　　□ 네　　□ 아니요

② 모하메드 씨는 오늘 회사에 안 돌아옵니다.　　□ 네　　□ 아니요

③ 이 사람은 지금 친구하고 같이 이야기합니다.　　□ 네　　□ 아니요

Quiz

1 Choose the appropriate answer for each dialogue.

❶ A 여보세요? _____

B 네. 그런데요.

a. 여기 한국가구지요?   b. 저기 한국가구지요?   c. 거기 한국가구지요?

❷ A 김진수 씨 계십니까?

B 아니요, _____

a. 전데요.   b. 김진수 씨지요?   c. 안 계신데요.

❸ A 여보세요? 수지 씨, 있어요?

B _____

A 수지 씨, 안녕하세요. 저 민수예요.

a. 전데요.   b. 여보세요?   c. 없는데요.

❹ A 김 부장님 좀 바꿔 주시겠습니까?

B _____

김 부장님, 전화 받으세요.

a. 그런데요.   b. 안 계신데요.   c. 잠깐만 기다리세요.

2 Respond to the questions just like as in the example.

Ex. 전화번호를 쓰세요 → 335-8421

❶ 이름을 쓰세요. → _____

❷ 회사 이름을 쓰세요. → _____

❸ 사무실 전화번호를 말하세요. → _____

Culture

Korean Telephone Numbers

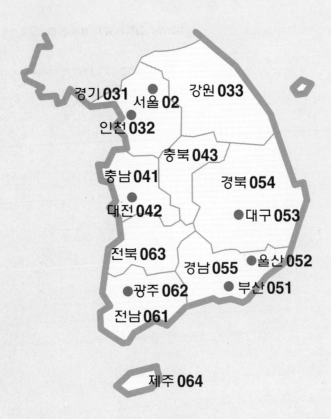

What number do you have to dial when you call Korea from another country? Korea's country code is 82, and Seoul's area code (지역번호) is 02. Telephone numbers are usually seven or eight digits. When you call someone in Seoul from overseas, you have to dial '82+2+○○○○○○○'. Korean area codes always start with zero, as in 032 (Incheon), 051 (Busan), and 031(Gyeonggi Province), but when you call from outside Korea, omit the 0.

Use of mobile phones is universal in Korea. Almost all university students and working people have mobile phones, and many middle and high school students and housewives have them also. Mobile phone numbers commonly start with either 011, 016, 017, 018, or 019, but now all new mobile phone numbers begin with 010. Most numbers are a total of either 10 or 11 digits.

Appendix

- Answer
- Grammar & Culture Translation
- Index

Answer

|1과|

▼ Quiz

1 (1) c   (2) b   (3) a   (4) d   (5) d

2 (1) 아이   (2) 우유   (3) 오이

|2과|

▼ Quiz

1 (1) a   (2) b   (3) c   (4) a   (5) c

2 (1) 나무   (2) 모자   (3) 차

|3과|

▼ Quiz

2 (1) a   (2) b   (3) a   (4) b

3 (1) 새   (2) 찌개   (3) 가위

4 (1) b   (2) a   (3) d   (4) c

|4과|

▼ Quiz

2 (1) c   (2) b   (3) a   (4) b

3 (1) 물   (2) 빵   (3) 한국

4 (1) d   (2) c   (3) a   (4) b

|5과|

▼ Quiz

1 (1) 이, 을   (2) 가, 를   (3) 가, 를   (4) 가, 을

2 (1) 책을   (2) 밥을   (3) 아이가   (4) 선생님이

3 (1) a   (2) b   (3) b

|6과|

▼ Practice

1 (1) 저는 마이클입니다.   (2) 저는 일본 사람입니다.
(3) 저는 회사원입니다.

2 (1) 중국 사람   (2) 인도네시아 사람
(3) 한국 사람

3 (1) 회사원입니까?   (2) 선생님입니까?
(3) 왕핑 씨는 중국 사람입니까?
(4) 이안 씨는 필리핀 사람입니까?

4 (1) 한국자동차에서 일합니다.
(2) 가구 회사에서 일합니다.
(3) 신발 공장에서 일합니다.

▼ Tasks

Reading

1 아니요   2 아니요   3 네

Listening

김민수 안녕하십니까. 처음 뵙겠습니다. 저는 김민수입니다.
왕조우 안녕하세요? 저는 왕조우입니다.
김민수 왕조우 씨는 어느 나라 사람입니까?
왕조우 중국 사람입니다.
김민수 학생입니까?
왕조우 아니요, 회사에서 일합니다. 한국자동차에서 일합니다.
김민수 만나서 반갑습니다.

1 b   2 b   3 b

▼ Quiz

1 (1) b   (2) c

2 (1) c   (2) c   (3) c   (4) a

|7과|

Practice

1　(1) 위에　　(2) 옆에　　(3) 위에　　(4) 밑에

2　(1) 컴퓨터가 없습니다.　　(2) 전화가 있습니다.

　(3) 식당이 있습니다.　　(4) 은행이 없습니다.

　(5) 사장님이 계십니다.

3　(1) 의자 밑에 있습니다.　　(2) 식당 왼쪽에 있습니다.

　(3) 어디에 있습니까?　　(4) 기숙사 오른쪽에 있습니다.

　(5) 팩시밀리가 없습니다.

Tasks

Listening

왕　핑　회사에 기숙사가 있습니까?
박영진　네, 사무실 뒤에 있습니다.
왕　핑　회사에 휴게실이 있습니까?
박영진　네, 있습니다.
왕　핑　휴게실이 어디에 있습니까?
박영진　화장실 앞에 있습니다.
왕　핑　회사에 식당이 있습니까?
박영진　아니요, 없습니다.
왕　핑　알겠습니다. 감사합니다.

1　c　　　　　　2　b

Quiz

1　(1) a　　(2) b　　(3) a

2　(1) c　　(2) a

3　(1) 뒤　　(2) 왼쪽　　(3) 밑, 아래　(4) 없습니다

|8과|

Practice

1　(1) 사이오에 칠칠육공

　(2) 구일이에 이육오사

　(3) 공이에 삼이칠이에 구일오공

　(4) 공일칠에 이오삼에 팔사오사

　(5) 공일공에 삼삼팔에 사칠구공

2　(1) 우유 세 개　　　(2) 의자 한 개

　(3) 차 두 대　　　　(4) 우표 여덟 장

　(5) 개 네 마리　　　(6) 주스 다섯 병

3　(1) 책상이 몇 개 있습니까?

　(2) 직원이 열 명 있습니다.

　(3) 컴퓨터가 몇 대 있습니까?

　(4) 새가 몇 마리 있습니까?

　(5) 우표가 한 장 있습니다.

Tasks

Listening

왕　핑　수지 씨, 사무실에 직원이 몇 명 있습니까?
수　지　일곱 명 있습니다.
왕　핑　그래요? 여자가 몇 명 있습니까?
수　지　세 명 있습니다.
왕　핑　중국 사람이 있습니까?
수　지　네, 두 명 있습니다.
왕　핑　사무실에 컴퓨터가 몇 대 있습니까?
수　지　아홉 대 있습니다.

1　7　　　2　3　　　3　2　　　4　9

Quiz

1　(1) 2　　(2) 3　　(3) 10　　(4) 4

　(5) 723-0148　　　(6) 010-341-5908

2　(1) d　　(2) a　　(3) b　　(4) c

　(5) e

3　(1) c　　(2) c

|9과|

Practice

1　(1) 한 시 십오 분　　(2) 여섯 시 이십오 분

　(3) 열한 시 십 분　　(4) 여덟 시 사십 분

　(5) 열 시 오십 분　　(6) 네 시 삼십 분(네 시 반)

2　(1) 을　　(2) 을　　(3) 을　　(4) 를

3　(1) 8시에 출근합니다.

　(2) 오후 3시에 친구를 만납니다.

　(3) 오후 7시에 저녁식사를 합니다.

　(4) 8시에 책을 읽습니다.

　(5) 10시에 잡니다.

　(6) 9시에 텔레비전을 봅니다.

▼
Tasks

––––––
Reading
––––––

1 아니요   2 아니요 3 네   4 아니요

––––––
Writing
––––––

아침식사를 합니다.
출근합니다(버스로 출근합니다).
회의를 합니다.
점심식사를 합니다.

▼
Quiz

1 (1) 5시 20분   (2) 8시 30분
   (3) 11시 45분   (4) 4시 55분

2 (1) ○   (2) ×   (3) ○   (4) ×   (5) ○

3 (1) 책을 읽습니다.   (2) 근무합니다.
   (3) 밥을 먹습니다.   (4) 텔레비전을 봅니다.

––––––––––––––––
|10과|

▼
Practice

1 (1) 일어나요. (2) 입어요. (3) 읽어요. (4) 먹어요.
   (5) 공부해요. (6) 예뻐요. (7) 이에요.   (8) 이에요.
   (9) 바빠요.   (10) 커요.

2 (1) 이만 삼천 원이에요.   (2) 백이십만 원이에요.
   (3) 칠천오백 원이에요.   (4) 이천 원이에요.
   (5) 만 오천 원이에요.

▼
Tasks

––––––
Listening
––––––

> 주 인 어서 오세요.
> 손 님 이 가방 얼마예요?
> 주 인 삼만 칠천 원이에요. 아주 좋아요.
> 손 님 운동화는 얼마예요?
> 주 인 만 삼천 원이에요.
> 손 님 이 옷은 얼마예요?
> 주 인 이만 사천 원이에요. 예뻐요.
> 손 님 가방이 너무 비싸요. 깎아 주세요.
> 주 인 삼만 오천 원 주세요.
> 손 님 좋아요. 이 가방 주세요.

1 (1) 37,000원(삼만 칠천 원)
   (2) 13,000원(만 삼천 원)
   (3) 24,000원(이만 사천 원)

2 무엇: 가방   얼마: 28,000원(이만 팔천 원)

▼
Quiz

1 (1) 340   (2) 2,500   (3) 97,000   (4) 47,500
   (5) 129,000

2 (1) b   (2) a   (3) b   (4) c

––––––––––––––––
|11과|

▼
Practice

1 (1) 먹을까요?   (2) 공부할까요?
   (3) 갈까요?   (4) 볼까요?
   (5) 만날까요?

2 (1) 한국어를 공부하고 싶어요.
   (2) 텔레비전을 보고 싶어요.
   (3) 회의를 하고 싶지 않아요.
   (4) 친구를 만나고 싶어요.
   (5) 빵을 먹고 싶지 않아요.
   (6) 책을 읽고 싶지 않아요.

3 (1) 부모님을 만나고 싶어요.
   (2) 갈비를 먹고 싶어요.
   (4) 부산에 가고 싶어요.
   (5) 옷을 사고 싶어요.

4 (1) 는   (2) 도   (3) 하고

▼
Tasks

––––––
Listening
––––––

> 주 인 뭘 드릴까요?
> 사 라 디나 씨, 뭘 먹고 싶어요?
> 디 나 전 김밥을 먹고 싶어요.
>   사라 씨는 뭘 먹고 싶어요?
> 사 라 전 칼국수를 먹고 싶어요.
>   디나 씨, 콜라도 마시고 싶어요?
> 디 나 아니요, 괜찮아요.
> 사 라 아줌마, 여기 칼국수하고 김밥 주세요.

1 (1) 김밥   (2) 칼국수

② 아니요

③ 아니요

▼
Quiz

1. (1) c   (2) b   (3) d   (4) a

2. (1) c   (2) a   (3) c   (4) b

|12과|

▼
Practice

1. (1) 근무 안 합니다.   (2) 공부 안 합니다.
   (3) 안 계십니다.   (4) 안 먹었습니다.
   (5) 운동 안 했습니다.

2. (1) 갔어요   (2) 샀습니다
   (3) 앉았습니다   (4) 먹었어요
   (5) 읽었어요   (6) 공부했습니다
   (7) 산책했어요   (8) 마셨습니다
   (9) 들었어요   ⑽ 불렀습니다
   ⑾ 추웠어요

3. (1) 일요일에 집에서 쉬었습니다.
   (2) 어제 사무실에서 일했습니다.
   (3) 지난 토요일에 극장에서 영화를 봤습니다.
   (4) 어제 밤에 집에서 텔레비전을 봤습니다.
   (5) 어제 시장에서 옷을 샀습니다.
   (6) 12시에 한식당에서 비빔밥을 먹었습니다.
   (7) 아까 친구 집에서 공부했습니다.

▼
Tasks

_____
Reading

1. c   2. b   3. c

▼
Quiz

1. (1) 화요일   (2) 금요일   (3) 일요일

2. (1) 노래방   (2) 극장, 영화관
   (3) 회사, 사무실   (4) 공원
   (5) 서점

3. (1) 밥을 먹었습니다, 밥을 먹었어요.
   (2) 술을 마셨습니다, 술을 마셨어요.
   (3) 친구하고 같이 산책했습니다, 친구하고 같이 산책
   했어요.

(4) 공원에서 운동했습니다, 공원에서 운동했어요.
(5) 약속이 있었습니다, 약속이 있었어요.

|13과|

▼
Practice

1. (1) 열아홉 살이에요.   (2) 스물네 살이에요.
   (3) 서른세 살이에요.   (4) 스물다섯 살이에요.
   (5) 마흔 살이에요.

2. (1) 계십니다   (2) 좋아하십니다
   (3) 일어나십니다   (4) 산책하십니다
   (5) 읽으십니다   (6) 드십니다

3. (1) 만나러   (2) 사러   (3) 운동하러
   (4) 먹으러   (5) 일하러

▼
Tasks

_____
Listening

사 라 디나 씨 가족은 몇 명이에요?
다 나 모두 다섯 명이에요.
사 라 언니와 동생이 있어요?
다 나 네, 언니 하나, 남동생 하나 있어요.
사 라 언니는 결혼했어요?
다 나 아니요, 결혼 안 했어요. 지금 필리핀에서 살아요.
사 라 남동생은 몇 살이에요?
다 나 열아홉 살이에요.
사 라 학생이에요?
다 나 아니요, 회사에 다녀요.

1. c

2. 결혼 안 했습니다

3. 19

4. 회사원

▼
Quiz

1. (1) 할아버지 (2) 어머니 (3) 형   (4) 여동생

2. (1) 사셨습니다   (2) 보십니다
   (3) 앉으십니다   (4) 드셨습니다
   (5) 주무십니다   (6) 운동하셨습니다

|14과|

▼
Practice

1
(1) 공휴일이 10월 1일부터 10월 3일까지예요.
(2) 휴가가 화요일부터 목요일까지예요.
(3) 근무가 월요일부터 금요일까지예요.

2
(1) 버스로 가요.　　　　(2) 자전거로 가요.
(3) 걸어서 가요.

3
(1) 여행할 겁니다　　　　(2) 노래를 안 부를 겁니다
(3) 쇼핑할 겁니다　　　　(4) 쇼핑 안 할 겁니다
(5) 한국 음식을 먹을 겁니다
(6) 한국에서 안 살 겁니다

4
(1) 일요일에 집에서 쉴 겁니다.
(2) 점심에 비빔밥을 먹을 겁니다.
(3) 내일 7시에 출근할 겁니다.
(4) 집에서 음악을 들을 겁니다.
(5) 내년에 고향에 돌아갈 겁니다.
(6) 주말에 술을 마실 겁니다.

▼
Tasks

Listening

사　라	디나 씨, 휴가가 언제예요?
다　나	이번 주 목요일부터 토요일까지예요.
사　라	디나 씨는 휴가에 뭐 할 거예요?
다　나	부산에 친구를 만나러 갈 거예요.
사　라	부산에 친구가 있어요?
다　나	네, 필리핀 친구가 있어요. 그 친구 집에서 쉴 거예요.
사　라	부산에 기차로 갈 거예요?
다　나	아니요, 고속버스로 갈 거예요.
사　라	언제 서울에 돌아올 거예요?
다　나	토요일 오후에 올 거예요.

1 네
2 아니요
3 아니요
4 아니요

▼
Quiz

1
(1) 7월 10일　　　　(2) 3월 25일
(3) 12월 11일　　　　(4) 6월 30일

2
(1) 로　　　　　　　(2) 부터, 까지

(3) 에서부터　　　　(4) 동안
(5) 까지

3
(1) b　　　(2) c　　　(3) a　　　(4) d

|15과|

▼
Practice

1
(1) 4시에 회의가 있지요?
(2) 사장님이 안 계시지요?
(3) 오늘 일이 많지요?
(4) 어제 7시에 퇴근했지요?
(5) 아침에 과장님을 만났지요?

2
(1) 서류를 복사하세요.　　(2) 사무실에 전화하세요.
(3) 신문을 읽으세요.　　　(4) 오늘까지 일을 끝내세요.
(5) 이메일을 보내세요.　　(6) 의자에 앉으세요.

▼
Tasks

Listening

A	여보세요? 거기 대한무역이지요?
B	네. 그런데요.
A	모하메드 씨 좀 바꿔 주시겠습니까?
B	지금 자리에 안 계신데요.
A	언제 돌아오십니까?
B	3시쯤 돌아오실 겁니다.
A	알겠습니다. 감사합니다.

1 아니요
2 아니요
3 아니요

▼
Quiz

1
(1) c　　　(2) c　　　(3) a　　　(4) c

2
(1) 김민수　(2) 한국가구 주식회사
(3) 02-368-9180(공이에 삼육팔에 구일팔공)

Grammar & Culture Translation

|6과| 안녕하세요?

① 저는 ~입니다

자신의 이름, 국적, 직업 등을 소개할 때 사용하는 표현이다. "저는+이름/국적/직업+입니다."로 말한다. 다른 사람을 소개할 때는 "00 씨는+이름/국적/직업+입니다."로 말한다. '저는'의 '는'은 모음으로 끝난 다음에 사용하며, 자음으로 끝난 다음에는 '은'을 사용한다.

② 어느 나라 사람입니까?

국적을 물을 때 사용하는 표현으로 "What is your nationality?"의 뜻이다.

③ (~은/는) ~입니까?

'입니까'는 '입니다'의 의문형이다. 이름, 국적, 직업 등을 물을 때 사용한다. 문장 끝을 올려서 말한다.

④ ~에서 일합니다

근무하는 직장을 말할 때 사용한다. 직장명에 붙여서 사용한다.

문화 ᄅᄅᄅᄅᄅᄅᄅᄅᄅᄅᄅᄅᄅᄅᄅᄅ

직장에서의 인사말과 호칭

한국 사람들의 기본적인 인사말은 "안녕하세요?", "안녕하십니까?"이다. "안녕하십니까?"는 "안녕하세요?"보다 좀더 격식적이지만 의미의 차이 없이 사용한다. 하루 중의 시간에 관계없이 사용하는데, "안녕하세요?" 또는 "안녕하십니까?"라고 말하면서 고개를 숙여서 인사하거나 악수를 한다.

직장에서 윗사람을 부를 때는 "사장님", "과장님"과 같이 이름 대신 직책을 부른다. 이때 '님'에는 존대의 의미가 있다. 동료나 아랫사람을 부를 때는 '씨'를 붙여서 '김진수 씨' 등으로 부른다. '씨'는 Mr., Ms., Miss.의 뜻이다.

|7과| 여기가 사무실입니다.

① 여기가 ~입니다

화자가 현재 있는 곳이 어디인지 나타내는 표현이다. '여기' 대신에 '거기', '저기'를 사용할 수 있다. '거기'는 청자가 있는 장소를 가리킬 때 사용한다. 또 현재 화자와 청자가 존재하지는 않지만 대화나 문맥에서 언급되고 있는 장소를 가리킬 때도 사용한다. '저기'는 화자와 청자에게서 먼 장소를 가리킬 때 사용한다.

② ~이/가 있습니다

사람이나 사물의 존재 유무를 나타낼 때 사용하는 표현이다. 주어가 모음으로 끝날 때는 '가', 자음으로 끝날 때는 '이'를 사용한다.
'있습니다'의 높임말은 '계십니다'이다. 윗사람은 '있습니다'라고 하지 않고 '계십니다'라고 한다. 부정은 '없습니다'가 아니라 '안 계십니다'이다.

③ ~이/가 ~에 있습니다

사람이나 사물이 존재하는 위치를 말할 때 사용한다. '에'는 장소나 위치를 나타내는 말에 붙여서 사용하는 조사이다.

문화 ᄅᄅᄅᄅᄅᄅᄅᄅᄅᄅᄅᄅᄅᄅᄅᄅ

윗사람에 대한 예절

한국은 예로부터 윗사람에 대한 예의를 중요하게 생각해 왔다. 그래서 아랫사람은 윗사람에게 예의에 맞게 행동하는 것이 중요하다. 예를 들어 윗사람 앞에서 술을 마실 때는 고개를 옆으로 돌리고 마신다. 그리고 윗사람 앞에서는 무릎을 꿇고 앉는다. 술을 따르거나 물건을 드릴 때도 두 손으로 드려야 한다. 윗사람과 함께 식사할 때도 윗분이 먼저 수저를 든 다음에 식사를 하는 것이 좋다.

윗사람에 대한 존대 사상은 한국말에도 잘 나타나 있다. 한국어는 높임말이 발달해 있다. 누구에게 말하는지에 따라서 '합니다, 갑니다'와 같은 높임말을 사용하기도 하고 '하자, 가자'와 같은 반말을 사용하기도 한다. 그리고 윗사람에게는 '님, 계십니다, 생신' 등 특별한 단어를 사용하기도 한다.

한국에서 사회생활을 성공적으로 해 나가려면 나이가 많은 어른, 직장에서의 상사, 선배 등에게 예의에 맞게 행동하고, 높임말을 적절하게 사용하는 것이 매우 중요하다.

|8과| 직원이 다섯 명 있습니다.

① 전화번호가 몇 번입니까?

전화번호를 물을 때 사용하는 표현이다. 전화번호 이외의 다른 번호를 물을 때도 "몇 번입니까?"라고 한다. 전화번호를 말할 때 '-'는 '에'라고 말한다. '0'은 '공' 또는 '영'이라고 하는데, 전화번호에서 '0'은 주로 '공'이라고 한다.

② 한, 두, 세, 네 + 명(개/마리)

사람이나 사물의 수를 셀 때는 다음과 같이 물건의 종류에 따라서 세는 단위를 달리 사용한다.

사람 - 명	동물(개, 고양이, 새) - 마리
책상, 우산 - 개	맥주, 주스 - 병
우표, 종이 - 장	컴퓨터, 차 - 대
꽃 - 송이	책 - 권

'명, 개, 마리' 등의 단위가 붙을 때, 또는 뒤에 명사가 올 때 '하나, 둘, 셋, 넷'은 '한, 두, 세, 네'로 바뀐다.

③ 몇 명(개/마리) 있습니까?

사람이나 사물의 수량을 물을 때 사용한다. 수량을 대답할 때는 "주어(사물/사람)+수량+있습니다."로 말한다. 예를 들면 "사람이 한 명 있습니다."와 같다.

문화 🔲🔲🔲🔲🔲🔲🔲🔲🔲🔲🔲🔲🔲
한국어의 수 읽기

한국어는 수를 두 가지 방식으로 읽는다. 하나는 한자어 '일, 이, 삼, 사…'로 읽는 것이며, 다른 하나는 고유어 '하나, 둘, 셋, 넷…'으로 읽는 것이다. 두 가지 읽는 방식은 언제, 무엇을 말하는지에 따라서 다르게 사용한다. 번호를 읽을 때는 '일, 이, 삼, 사'로 읽는다. 전화번호,

방 번호, 자동차 번호, 여권 번호 등이 모두 그렇다. 그러나 수를 셀 때는 '하나, 둘, 셋, 넷'으로 센다. 사람을 셀 때도 모두 그렇다. 나이를 말할 때도 '한 살, 두 살…'이라고 한다.

날짜나 시간을 읽을 때는 어떻게 할까? 날짜는 한자어 방식으로 읽는다. 그렇지만 시간을 말할 때, '시'는 고유어 방식으로, '분'은 한자어 방식으로 읽는다.

|9과| 6시에 퇴근합니다.

① 시간 읽기

시간을 읽을 때 '시'는 고유어 방식으로 읽으므로 '한 시, 두 시, 세 시' 등이 된다. 그리고 '분'은 한자어 방식으로 읽으므로 '십 분, 이십 분, 사십오 분' 등으로 읽는다.

② 시간 + ~에

'에'는 시간을 나타내는 말에 붙여서 사용하는 조사이다. '시간+에'의 형태로 사용하며, 영어로는 'at'의 의미이다.

*장소 + ~에
한국어의 조사 '에'는 문장에서 여러 가지 역할을 한다. '회사에 가다'의 '에'는 '시간+에'와는 달리 '장소+에'로 사용되어 'to'의 뜻을 나타낸다.

③ ~ㅂ니다/습니다

한국어의 동사와 형용사는 기본형의 형태로 사전에 올라 있다. 동사와 형용사는 기본형에서 활용을 하여 시제, 높임, 피동, 사동 등을 표현하게 된다. 기본형은 '어간+다'로 이루어지는데 어간은 활용할 때에도 언제나 바뀌지 않는 부분이다. 그러므로 활용을 할 때는 기본형에서 '다'를 제외한 어간에 어떤 형태를 붙인다.

'습니다'는 현재형의 격식적인 존대 표현이다. 이 형태는 상대방을 높여서 말할 때 사용한다. 기본형에서 '다'를 삭제하고 'ㅂ니다', 또는 '습니다'를 붙여서 만든다. 어간이 모음으로 끝나면 'ㅂ니다'를, 자음으로 끝나면 '습니다'를 붙인다.

④ ~을/를

'을/를'은 문장의 목적어에 사용하는 조사이다. 목적어가 모음으로 끝나면 '를', 자음으로 끝나면 '을'을 사용한다.

문화 🔲🔲🔲🔲🔲🔲🔲🔲🔲🔲🔲🔲

주5일 근무제도

한국에서 일반 회사원이나 공무원의 출근시간은 보통 9시이다. 점심시간은 12시-1시이며, 조금씩 차이가 있지만 퇴근시간은 보통 6시이다.

한국은 2000년대에 들어서 월요일부터 금요일까지 일하는 주5일 근무제도를 점차적으로 늘려가고 있다. 현재 대기업, 대학교, 연구기관, 은행 등은 대부분 주5일 근무제도를 실시한다. 그래서 토요일에는 근무를 하지 않는다.

대학교는 주5일제를 실시하고 있으며, 그 이외의 학교들은 현재 초등학교부터 점차적으로 주5일 등교를 실시하고 있다. 그러나 대부분의 중소기업들은 아직 주5일 근무제도를 실시하지 않고 토요일까지 근무하고 있다.

|10과| 이거 얼마예요?

① ~어/아요

'어/아요'는 비격식적인 현재형이며, 'ㅂ니다/습니다'와 같이 상대방을 높여서 말하는 표현이다. 친구, 가족 등 가까운 사람 간에는 격식적인 'ㅂ니다/습니다'보다 '어/아요'를 더 자주 사용한다. 특히 '어/아요'는 구어에서 자주 사용한다.

'어/아요' 형태를 만드는 방법은 다음과 같다.

    ① 기본형의 어간이 'ㅗ, ㅏ'로 끝날 때는 어간에 '아요'를 붙인다.

    ② 기본형의 어간이 그 밖의 모음으로 끝날 때는 어간에 '어요'를 붙인다.

    ③ '하다'는 '해요'로 바뀐다.

    ④ '입니다'는 '예요/이에요'가 된다. 모음 다음에는 '예요'가 되고, 자음 다음에는 '이에요'가 된다.

② 이거 얼마예요?

물건 값을 물을 때 사용하는 표현으로 "How much is this?"의 뜻이다. 완전한 문장은 "이것이 얼마예요?"지만 구어에서는 조사를 종종 생략하여 사용한다. 그리하여 '이것이' 대신에 '이거'를 사용한다.

③ 깎아 주세요.

시장이나 거리에서 물건 가격을 흥정할 때 사용하는 표현으로 "Please lower the price."의 뜻이다. 이외에도 "싸게 해 주세요."를 자주 사용한다.

④ 여기 있어요.

물건을 건네주면서 하는 말로 "Here you are."의 뜻이다.

문화 🔲🔲🔲🔲🔲🔲🔲🔲🔲🔲🔲🔲

한국에서 물건 사기

한국에는 백화점, 대형할인마켓 등이 많이 있다. 또한 시장이 발달해 있어서 어느 도시에서나 재래시장이나 길가의 노점상을 볼 수 있다. 서울의 남대문 시장과 동대문 시장은 재래시장 중 가장 유명한데, 여러 가지 종류의 생활용품을 살 수 있다.

백화점이나 대형할인마켓은 정찰제라서 세일기간에만 할인을 받을 수 있다. 그러나 재래시장, 길가의 작은 가게들, 노점상에서는 물건 값을 깎을 수 있다. 흥정을 얼마나 잘하느냐에 따라 싸게 살 수 있는 정도가 달라진다. 다음은 물건을 살 때 자주 사용하는 표현이다. 이러한 표현을 알고 있으면 쇼핑을 좀더 쉽게 할 수 있을 것이다.

    어서 오세요.
    뭘 찾으세요?
    그냥 구경 좀 할게요.
    입어 봐도 돼요?
    깎아 주세요.
    싸게 해 주세요.
    나중에 다시 올게요.
    또 오세요.

|11과| 불고기를 먹고 싶어요.

① ~(으)ㄹ까요?

다른 사람에게 무엇을 함께 할 것을 제안하거나 의향을 물을 때 사용한다. "Shall we ~?"의 뜻이다. 주어는 '우리'가 되지만 보통 주어를 생략해서 말한다. 이 표현은 동사에 붙여서 사용하는데 동사 어간이 모음으로 끝나면 'ㄹ까요', 자음으로 끝나면 '을까요'가 된다.

② **~고 싶다**

어떤 행동을 하고 싶은 화자의 희망을 나타낸다. "I want to~"의 뜻이다. 항상 동사에 붙여서 사용하며, 부정은 '고 싶지 않다'이다.

③ **~은/는, ~도**

'은/는'은 두 가지 이상의 것들 사이에서 대조, 대비를 나타낼 때 사용하는 조사이다. 반대로 두 가지 이상의 것들이 동일할 때는 'also, too'의 뜻인 '도'를 사용한다.

문화 🮱🮱🮱🮱🮱🮱🮱🮱🮱🮱🮱🮱🮱🮱🮱

한국 음식

한국에서 한국 음식을 먹을 수 있는 한식당은 메뉴와 규모에 따라 다양하다. 보통 한식을 정식 코스로 먹는 한정식당, 갈비나 불고기, 비빔밥, 갈비탕 등을 먹는 일반 한식당, 국수나 김밥 등 가벼운 한식이나 분식을 먹는 분식집 등이 있다.

한식당에서 주로 먹을 수 있는 한국 음식으로는 갈비, 불고기, 삼겹살 등이 있다. 갈비와 불고기는 소고기로 만들며, 간장 양념을 하기 때문에 맵지 않다. 삼겹살은 돼지고기이며, 다른 고기보다 싸고 술과 잘 어울리는 음식이라서 인기가 많다.

냉면은 차게 먹는 국수류이다. 비빔냉면은 고추장 양념으로 비벼 맵게 먹는 냉면이며, 물냉면은 차가운 육수를 넣어 먹으므로 여름에 특히 인기가 많다. 이와 달리 칼국수는 따뜻한 국물이 있는 국수이다.

찌개는 국과 비슷하지만 국보다 건더기가 많이 들어 있다. 가장 대표적인 것으로는 된장찌개, 김치찌개, 순두부찌개가 있다.

|12과| **지난 주말에 노래방에 갔어요.**

① **안 + Verb**

동사나 형용사 앞에 '안'을 사용하여 부정의 의미를 나타낸다. '명사+하다'형으로 된 '공부하다, 운동하다, 노래하다' 등의 동사는 '명사+안+하다'의 형태가 된다.

② **~에서**

'에서'는 행동이 일어나는 장소를 나타낼 때 사용하는 조사이다. '장소+에서+동사'의 형태로 사용된다.

③ **~었/았습니다, ~었/았어요**

동사나 형용사의 어간에 '었/았습니다' 또는 '었/았어요'를 붙여서 과거형을 만든다. 과거형을 만드는 방법은 다음과 같다.

　① 기본형의 어간이 'ㅏ, ㅗ'로 끝날 때는 '았어요'를 붙인다. 단 어간이 모음으로 끝날 때는 축약된다.

　② 기본형의 어간이 'ㅏ, ㅗ' 이외의 모음으로 끝날 때는 '었어요'를 붙인다. 단, 어간이 모음으로 끝날 때는 축약된다.

　③ '하다'는 '했어요'로 바뀐다.

　④ '이다'는 '이었어요/였어요'가 된다. '모음+이었어요', '자음+였어요'로 된다.

　⑤ 'ㅡ' 탈락: 어간이 'ㅡ'로 끝나는 동사나 형용사는 'ㅡ'가 탈락하고 '었어요' 또는 '았어요'가 붙는다.

　⑥ 'ㄷ' 불규칙: 어간이 'ㄷ'으로 끝나는 동사 중의 일부는 뒤에 모음 '아, 오' 등이 올 때 'ㄹ'이 'ㄷ'으로 바뀌고 '았어요, 었어요'가 붙는다.

　⑦ 'ㅂ' 불규칙: 어간이 'ㅂ'으로 끝나는 동사나 형용사의 일부는 뒤에 모음 '아, 오' 등이 올 때 'ㅂ'이 '오' 또는 '아'로 바뀐다. 현재의 한국어에서 'ㅂ'은 대부분 '우'로 바뀐다. 그러므로 우나 오로 바뀌는 규칙을 암기하기보다는 '곱다, 돕다'처럼 '오'로 바뀌는 몇몇의 예를 외우는 것이 수월한 방법이다.

　⑧ '르' 불규칙: 어간이 르로 끝나는 동사 뒤에 모음이 올 경우, 르의 모음 'ㅡ'가 생략되고 'ㄹ'이 삽입된다. 그리고 여기에 '었어요'나 '았어요'가 붙는다.

④ **~하고 같이**

'together with'의 뜻이다. '같이'를 생략하고 사용하기도 한다. '하고 같이'는 구어체에서 많이 사용하며, 문어체에서는 '와/과 같이'를 자주 사용한다.

문화 🮱🮱🮱🮱🮱🮱🮱🮱🮱🮱🮱🮱🮱🮱🮱

노래방, 찜질방, 만화방

한국에서 거리를 걷다 보면 노래방, 찜질방, PC방, 만화방 등 '방'이라고 써 있는 곳을 많이 볼 수 있다. 이런 곳들은 한국인들이 시간을 보내며 스트레스도 풀고, 함께 어울리는 문화 공간들이다.

1990년대 초부터 한국에는 방문화가 유행하였는데 그 중에서 노래방은 가장 빨리, 가장 크게 인기를 얻었다. 노래 부르기를 좋아하는 한국 사람들에게 삼삼오오 모여 편하게 노래를 부를 수 있는 노래방은 폭발적인 인기를 얻은 것이다. 그리하여 이제 회식이나 각종 모임 후에는 노래방에 가서 같이 노래를 부르는 것이 일반화되었다.

그밖에 청소년이나 대학생들이 주로 이용하는 PC방, 만화방, 비디오방도 있다. 찜질방은 초기에는 40-50대 중년 여성들이 주로 찾는 곳이었으나 이제는 세대와 계층을 초월한 대중문화 공간으로 바뀌었다. 찜질방은 땀을 흘리며 피로를 푸는 것만이 아니라, 그 안에 오락실, 노래방, 휴게실, 헬스기구 등이 있어서 다양한 문화를 즐기는 복합 공간이 되었다.

|13과| 가족이 몇 명입니까?

① 몇 살입니까?

나이를 물을 때 사용하는 표현으로 "How old are you?"의 뜻이다. 윗사람에게 나이를 직접 묻는 것은 실례가 되므로 윗사람에게 직접 묻지 않는다. 윗사람의 나이를 다른 사람에게 물을 때는 "연세가 어떻게 되셨습니까?"라고 말한다.

나이를 말할 때는 '하나, 둘, 셋, 열, 스물' 등 고유어 방식으로 읽는다. 그리고 나이의 단위인 '살'을 붙여서 말한다.

② ~(으)시~

문장에서 윗사람이 주어인 경우, 그 주어에 대해서 말할 때는 동사에 '~시'를 붙여서 높임을 표시한다. 동사의 어간이 모음으로 끝나면 '시', 자음으로 끝나면 '으시'를 붙인다.

동사 중에는 불규칙 활용을 하는 것이 있다. 어간이 'ㄷ'으로 끝나는 경우 모음이 이어지면 'ㄷ'은 'ㄹ'로 바뀐다. 이것을 'ㄷ 불규칙'이라고 한다. 그리고 어간이 'ㄹ'로 끝나는 경우 'ㄴ, ㅂ, ㅅ'이 이어지면 'ㄹ'은 탈락된다.

다음 동사들은 높임말로 '시'를 붙이지 않고 특별한 어휘를 사용한다.

먹다 → 드시다
자다 → 주무시다
있다 → 계시다

③ ~러 가다/오다

'가다, 오다' 행위의 목적을 말할 때 사용하는 표현이다.

'가다, 오다' 또는 '가다, 오다'의 결합형인 '올라가다, 내려가다, 다니다' 등에 붙어서 사용된다. 어간이 모음으로 끝났을 때는 '러 가다', 자음으로 끝났을 때는 '으러 가다'를 붙인다.

문화 🔲🔲🔲🔲🔲🔲🔲🔲🔲🔲🔲🔲🔲

가족 소개와 호칭

한국 사람은 가족을 소개할 때 '내 가족'이라고 하지 않고 '우리 가족', '저희 가족'이라고 한다. '저희'는 '우리'의 겸양 표현이므로 다른 사람에게 자신과 자기 가족을 낮추어서 말할 때 사용한다. 가족의 일원을 소개할 때도 "저희 언니입니다.", "저희 형입니다." 라고 소개한다. 물론 친구나 가까운 동료에게는 '우리 가족'이라고 소개해도 실례가 되지는 않는다.

가족 간에 서로를 부를 때 아랫사람은 윗사람의 이름을 부르지 않고 관계를 부른다. 그래서 '아버지, 형, 누나'라고 부른다. 그렇지만 윗사람은 아랫사람의 이름을 부른다. 그래서 '미나야, 수지야' 등으로 부른다.

한국 사람은 가족이 아니어도 가까운 동료나 선후배 간에 '언니, 형, 누나, 동생'과 같은 가족 호칭을 사용한다. 여기엔 가족이 아니지만 가족같이 가깝게 여기는 마음이 나타나 있다. 그래서 한국에서는 학교, 회사, 가게 등에서 종종 이러한 가족 호칭을 듣게 된다.

|14과| 설악산에 갈 거예요.

① ~로

수단을 나타낼 때 사용하는 조사로서 'by'의 의미이다. 모음과 자음 'ㄹ'로 끝났을 때는 '로'를 붙이고, 그 밖의 자음으로 끝났을 때는 '으로'를 붙인다.

교통수단을 이용하지 않을 때는 '걸어서(by walking), 뛰어서(by running)'이라고 한다.

② ~부터 ~까지

시간을 나타내는 말에 붙어서 시작과 끝을 말할 때 사용하는 표현이다. 'from ~ until~'의 의미이다.

장소를 나타내는 말에 붙을 때는 '에서(부터) ~까지'를 사용한다.

③ **~(으)ㄹ 겁니다. ~(으)ㄹ 거예요**

'(으)ㄹ 겁니다, (으)ㄹ 거예요'는 동사의 어간에 붙어서 미래시제를 나타낸다. 어간이 모음으로 끝나면 'ㄹ 겁니다', 자음으로 끝나면 '을 겁니다'를 붙인다.

동사 중에는 불규칙 활용을 하는 것이 있다. 어간이 'ㄷ'으로 끝나는 동사의 경우 모음이 이어지면 'ㄷ', 'ㄹ'로 바뀐다. 그리고 어간이 'ㄹ'로 끝나는 동사의 경우 먼저 'ㄹ'이 탈락하고 'ㄹ 겁니다'가 붙는다.

문화

직장인의 여름휴가

한국의 여름에는 장마철이 있다. 6월 중순부터 약 한 달 동안 장마가 계속되는데, 장마가 끝난 다음에는 8월 초-중순까지 무더운 날씨가 계속된다. 그래서 장마가 끝난 7월 중순 정도부터 8월 초까지, 많은 사람들이 계속되는 더위를 피해서 피서를 떠난다.

직장인들은 일 년에 며칠의 휴가가 있는데 가장 일반적인 휴가는 7월-8월 사이의 여름휴가이다. 이때를 휴가철이라고 하며, 보통 3일-5일 정도 휴가를 받는다. 이때 대부분의 사람들은 산이나 바다로 피서를 떠난다. 그래서 휴가 기간에 산이나 바다 근처는 피서를 온 사람들로 북적이지만 반대로 서울 등 대도시에는 차량이 줄어서 교통이 원활하기도 하다. 여름휴가 이외에는 직장과 개인에 따라서 휴가를 달리 사용한다.

|15과| 김 과장님 좀 바꿔 주세요.

① **전화 표현**

다음은 전화할 때 자주 사용하는 표현이다.

여보세요?
거기 한국자동차지요?
그런데요.
전데요.
김수진 씨 좀 바꿔 주세요.
김 과장님 좀 바꿔 주시겠습니까?
지금 자리에 안 계신데요.
잠깐만 기다리세요.
사라 씨, 전화 받으세요.
전화 바꿨습니다.

다시 전화하겠습니다.
안녕히 계세요.

② **~지요?**

알고 있는 사실을 확인하듯이 되물을 때 사용하는 표현이다. 어간에 붙여서 사용하는데 과거일 때는 '었/았지요?', 미래일 때는 '을 거지요?'가 된다. 구어에서는 보통 '죠?'로 축약하여 발음한다.

③ **~(으)세요**

다른 사람에게 명령 또는 부탁할 때 사용하는 표현으로 동작동사와만 함께 쓰인다. 동사의 어간이 모음으로 끝나면 '세요', 자음으로 끝나면 '으세요'를 붙인다. '듣다'와 같이 'ㄷ'으로 끝나는 동사는 '으세요'의 모음과 만날 때 'ㄷ'이 'ㄹ'로 바뀌는 불규칙 활용을 한다. 그리고 '만들다'와 같이 'ㄹ'로 끝나는 동사는 'ㄹ'이 탈락하고 '세요'를 붙인다.

문화

한국의 전화번호

다른 나라에서 한국에 전화를 할 때, 몇 번을 눌러야 할까? 한국의 국가번호는 82번이다. 지역번호는 보통 0으로 시작하는데, 서울의 지역번호는 02, 인천은 032, 부산은 051, 경기도는 031 등이다. 지역번호 이외의 전화번호는 보통 7자리-8자리이다. 국제 전화를 걸 때는 지역번호의 0을 누르지 않으며, 한국 내에서는 지역번호의 0을 눌러야 한다. 그러므로 외국에서 서울에 전화하려면 '82+2+전화번호(○○○○○○○)'를 눌러야 한다.

한국에서는 휴대폰 사용이 보편화되어 있다. 그래서 대학생이나 직장인들은 대부분 휴대폰을 가지고 있으며 중·고등학생이나 주부들 중에도 많은 사람들이 휴대폰을 사용하고 있다. 지금까지 휴대폰 번호는 011, 016, 017, 018, 019로 시작했는데 요즘 새롭게 받는 번호들은 010으로 시작한다. 핸드폰 번호는 보통 10자리-11자리이다.

Index

■ ㅅ

■ ㅈ

eakor

PL913

Y53 2005

UKE399459

4793368

4/25/07

SYS